新図解

# やってはいけない勉強法



石井貴士
TAKASHI ISHII

きずな出版

はじめに

# 正しい勉強法を学ぶ前に、「やってはいけない勉強法」を学んでおく

「どの勉強法が正しいのだろうか」と、たった1つの正解を求めている人はとても多いです。その結果、試行錯誤し「勉強法は人それぞれ。これだけが正しいという方法なんて存在しないんだ」という、もっともらしい結論を導き出しているのが現状です。

**違います。勉強法には正解があります。**間違った方法で勉強をしても、非効率な状態のままなので、成績はなかなか上がりません。

正しい勉強法を知るために必要なこと。それは**「最初に、やってはいけない勉強法を知る」**ということなのです。

「もし8時間、木を切る時間を与えられたら、そのうち6時間を、私は斧（おの）を研（と）ぐのに使うだろう」（エイブラハム・リンカーン）

という言葉があります。

**①まず正しい勉強法をマスターする　②勉強する**

このツーステップで、最速で成績は上がります。たとえば東京から北海道に行こうとしたときに、

①どうやって行くのが一番安くて早いのかを調べる　②チケットを取って、北海道まで行く

というのが一番いい方法です。

「何も考えずに、とりあえず北海道の方角へ向かって歩き出す」という人はいません。勉強法をマスターせずに勉強を始めるのは、北海道へ行きたいからといって、いきなり歩き出す人と同じです。

**正しい勉強法を知ってから勉強を始めることこそ、最速で成績を上げるための、正しい順番なのです。**

## 誰でも天才と同じ結果が手に入る

「努力が大切だ。努力をすれば天才になれるんだ」と、多くの人が当たり前のように考えています。違います。**「頭のいい人は、どういう勉強法をしているんだろう。それを研究して、同じやり方をすれば同じ結果が出るはずだ」**と考えるべきです。

間違った勉強法のままいくら勉強をしても、天才に追いつくことはできませんが、多くの人は自分を変えようとしません。「いまの自分のまま、どうすれば成功できるのか」と考え、努力しています。

たとえて言うなら、一生懸命に自転車を漕（こ）ぎながら「どうすればもっと速く自転車を漕げるだろうか」と悩んでいるようなものです。

天才が、自転車を漕ぐあなたの横を、新幹線に乗って一瞬で通り過ぎていっても、自分のやり方を変えようとしない人ばかりです。より優れた勉強法があるのであれば、すぐに乗り換えたほうがいいはずです。そのために**最初にあなたがすべきことは、天才になるためにすべての時間と労力を使うということです。**

「天才になるために全力を尽くす。勉強は天才になってから始める」

これが、あなたが最速で成績を上げるためにベストな行動です。

自転車を一生懸命漕ぐのをやめて、新幹線に乗ればいいのです。

## 勉強法の最終奥義「瞬間記憶」をマスターする

最初に正解を言ってしまうと、勉強法のゴールは「瞬間記憶」ができるようになることです。**「瞬間記憶」とは、文字通り「瞬間」で「記憶」すること。**これが最終奥義です。

高校1年生のときに、教科書をパラパラとめくっただけで「覚えた！」と言って、日本史・世界史で満点を取った友人がいました。それを見て私は「天才だから『瞬間記憶』ができるのではない。**『瞬間記憶』ができれば私も天才になれるんだ**」と閃いたのです。

しかし肝心のその方法に関しては、わからないままでした。天才の友人に尋ねても、「小学校の頃から、一度見たものは忘れないしなあ。なんでこういうことができるのかは説明できない」

と言われ、途方に暮れていましたが、高校2年生の春に、私の人

Conclusion

### 天才の勉強法を学べば、あなたも天才になれる

やり方を変えよう！

天才と同じやり方を学べば……

こっちのほうが速くて楽！

天才と同じ結果が出る！

がんばるぞ！

凡人のまま努力しても……

ぬぉおおお！

「すごい凡人」になるだけ

生を変える英語の先生と出会い、その先生はこう言いました。

「このなかで英単語を書いて覚えている人、手を挙げてください。はい、ほとんどですね。では英単語を目で見て覚えている人、手を挙げてください。はい、誰もいませんね。

では英単語を1単語1秒で、目で見て覚える訓練を3ヵ月以上したことがある人、手を挙げてください。誰もいませんね。なぜ訓練をしていないのに、最初から無理だと決めつけているのですか?」

その話を聞いて、頭をハンマーで殴られたような衝撃を受けました。**ほとんどの人は「瞬間記憶」をマスターするために、3ヵ月を費やしていないために、天才になれないまま勉強をしているのです。**

それから私は勉強を始める前に3ヵ月間、「瞬間記憶」をマスターする(1単語1秒で、目で見て覚える)ことだけに時間を費しました。私はもともと、**「瞬間記憶」の最初の一歩は、英単語を目で見て覚える訓練こそベストではないか**と考えていました。

すると3ヵ月後の英語の模試で、偏差値30から偏差値74になり、その後の3ヵ月で、世界史も偏差値が70になりました。

そして、**高校3年生のときのZ会の慶応大学模試では全国1位を獲得するに至った**のです。

凡人が凡人のまま努力をしても、天才になることは不可能。

だが最初に3ヵ月間を使って、天才に生まれ変わることにフォーカスすれば、天才になって、天才と同じ結果を得ることができる。

このことを、身をもって証明したのです。

## 「瞬間記憶」習得の前にやっておくべきこと

「瞬間記憶」をする前に、大事な前提があります。**「瞬間記憶」をするために適した「ノートづくり(教科書づくり・参考書づくり・問題集づくり)」**です。多くの教科書は凡人向けにつくられているため、「瞬間記憶」には適していません。そこで私はそのための参考書として、これまでに『1分間英単語１６００』(ＫＡＤＯＫＡＷＡ刊)、『1分間英文法６００』(水王舎刊)を出版したのです。

参考書はこれら「1分間シリーズ」を使っていただければいいのですが、**大切なのは日頃の「ノートづくり」です。**これを「瞬間記憶」専用にしていくことです。

**「瞬間記憶」のメリットは、最速で物事を覚えられることです。**一方、間違った方法論で勉強したら、間違ったまま最速化されてしまいます。言い方は悪いですが、「最速のバカ」ができるだけです。
**(0)やってはいけない勉強法を知り、正しい勉強法に切り替える**
**(1)「瞬間記憶」をマスターする　(2)努力する**
(1)の前に、(0)が存在したわけです。**あなたがおこなうべきは「天才に生まれ変わったあとに努力をする」ということです。**
さっそくこの本で一緒に「やってはいけない勉強法」を学び、天才に生まれ変わりましょう。

天才に生まれ変わる一歩は、この本をいますぐレジに持っていくことから始まるのです。

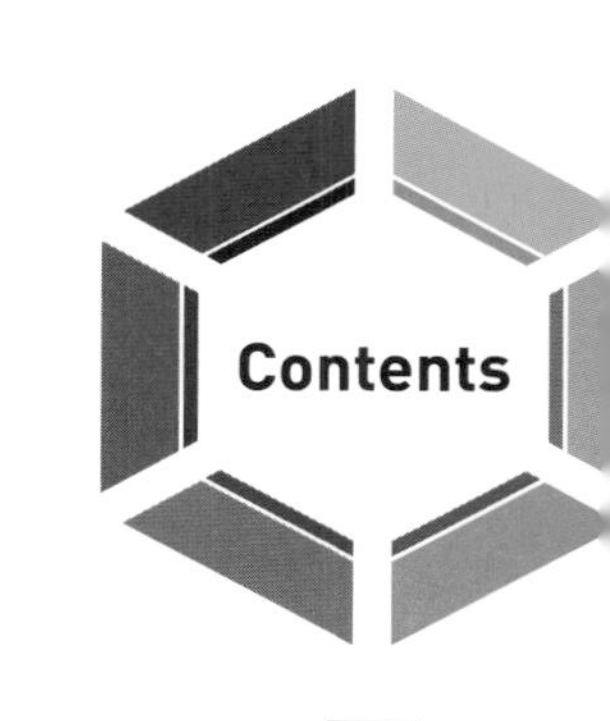


# 【新図解】やってはいけない勉強法

## 「やってはいけない勉強法」をしなければ、正しい勉強法は自然と身につく

Technique ▸ 01〜06

Chapter 2

やってはいけない
# 「記憶法」

# やってはいけない「英語勉強法」

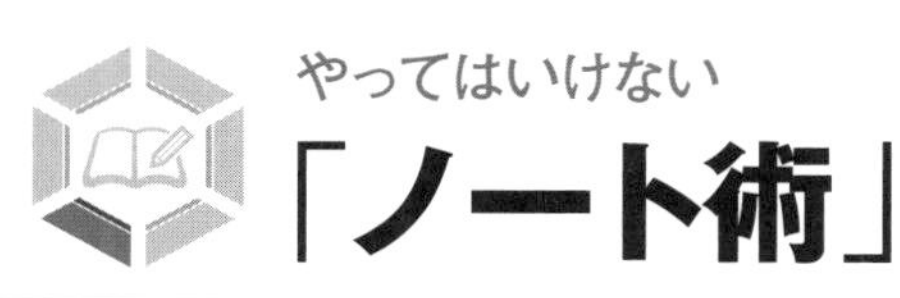


やってはいけない

# 「ノート術」

Technique ▸ 32〜38

Chapter 5

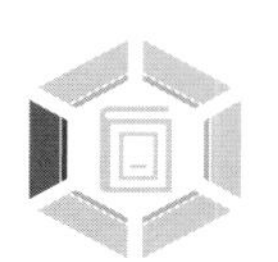

## やってはいけない「読書法」

# やってはいけない「勉強習慣」

Technique ▸ 39〜53

本文デザイン、図版制作　土谷英一朗（Studio Bozz）
カバーデザイン　池上幸一
校正　鷗来堂

Technique ▸ 54～62

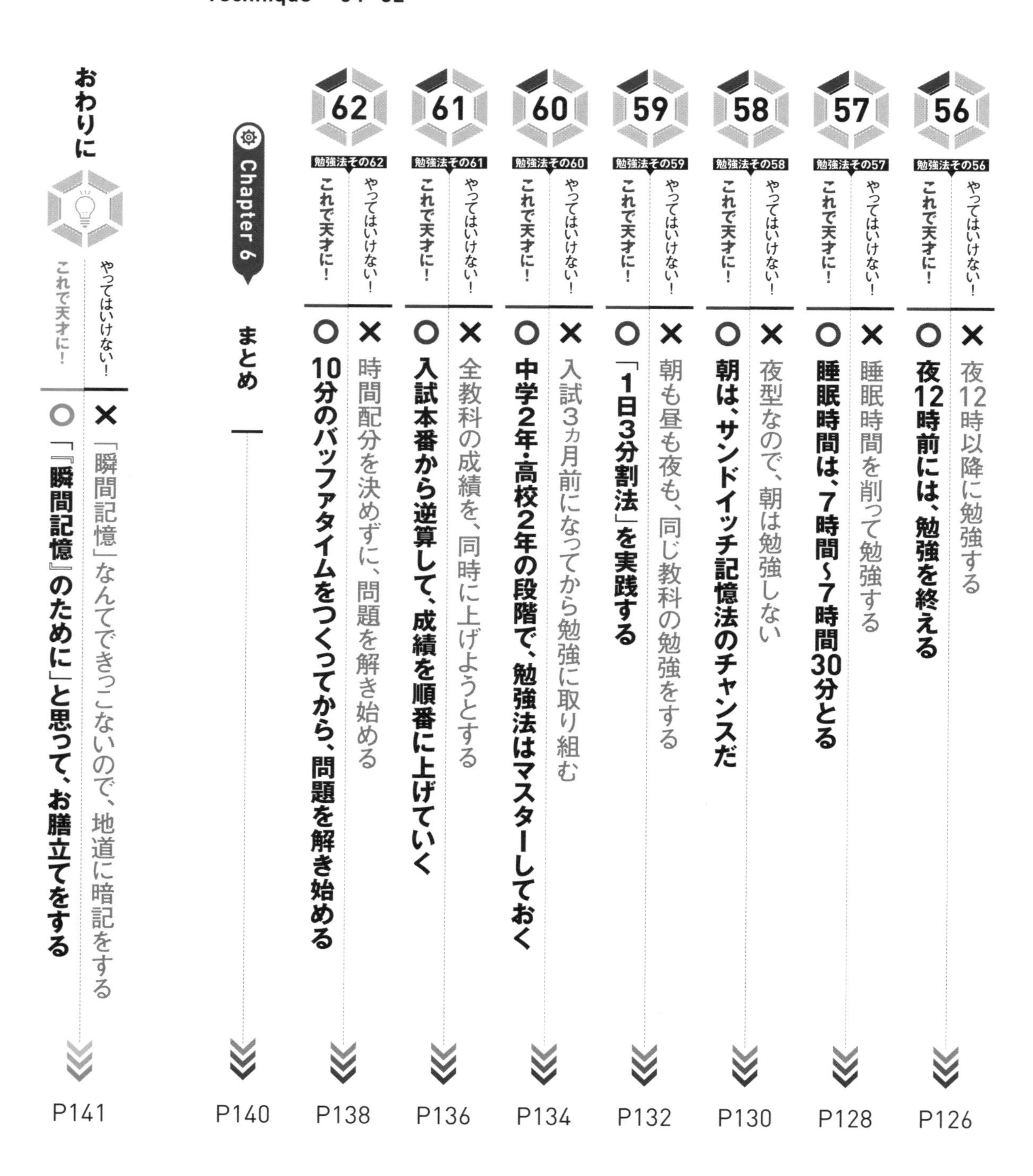

Chapter 1

# 「やってはいけない勉強法」をしなければ、正しい勉強法は自然と身につく

**勉強法その1** Technique 01

✕ 独学でがんばる

○ **先生をつける**

**勉強法その2** Technique 02

✕ 通信教育で済ませる

○ **直接、話を聞いて教わる**

**勉強法その3** Technique 03

✕ 家庭教師をつける

○ **塾に通う**

**勉強法その4** Technique 04

✕ 小論文を自分で練習して、上手になろうとする

○ **小論文は添削してもらって、上手になろうとする**

**勉強法その5** Technique 05

✕ 漢字の勉強をする

○ **漢字の勉強は一切しない**

**勉強法その6** Technique 06

✕ 1冊の参考書を繰り返す

○ **現存する参考書はすべて買う**

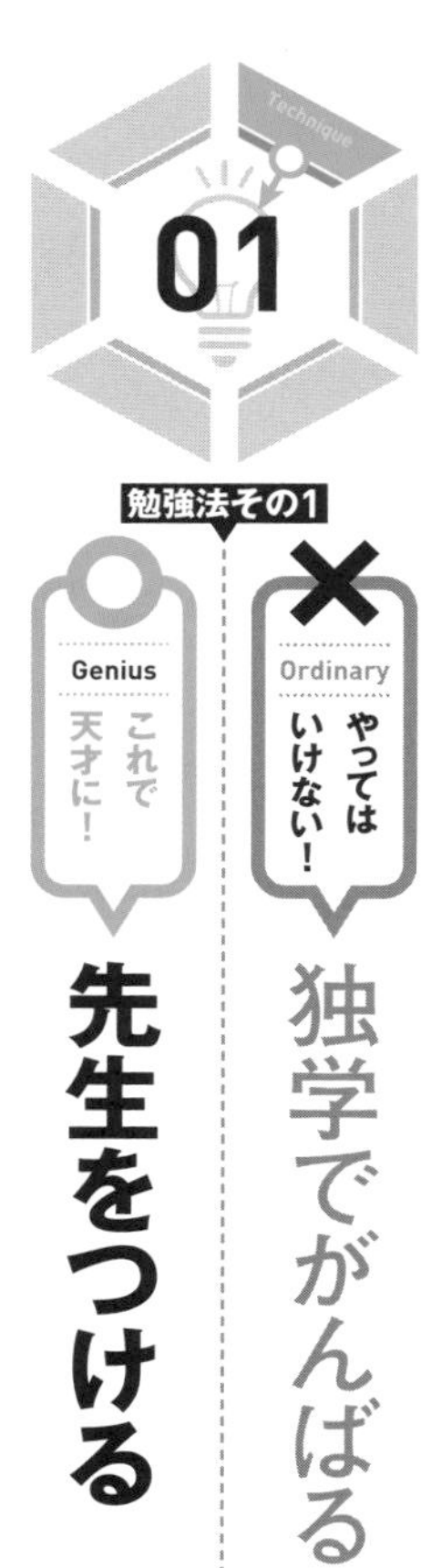


# ✕ 独学でがんばる

# ◯ 先生をつける

勉強を独学でしようとする人がいます。

独学は参考書や問題集を買ってひとりで勉強するので、安上がりで素晴らしいと思いがちです。

実際「私は塾に通わずに、独学で東大に合格したんです」という話は「塾にお金をかけないなんて、親孝行な子どもだ！」と、美談のように語られます。

しかし、**独学は一番やってはいけない勉強法です。**

なぜなら、「先生との出会い」が人生では重要だからです。

むしろ、独学をすることでそのチャンスを逃す「機会損失」のほうが、お金よりも大きな問題です。

## 独学は時間の無駄

また、先生をつけないのは、時間の使い方としても間違っています。先生に聞けばいいものを、自分で調べていたら時間の無駄だからです。

「どこが試験に出るのだろうか」と試行錯誤するより、「ここが試験に出ますよ」と先生に教えてもらったほうが早いのです。

**勉強において大切なのは、スピードです。**

「競争では、つねに速い者が勝つ」（ベンジャミン・ディズレーリ）という言葉がありますが、**勉強という競争でも、〝いかに最速で勉強ができるようになるか〟が第一**であって、お金がかかる、かからないは二の次です。

高学歴の子は高学歴に「東大に合格する子どもの親は、年収１０００万円以上が多い」という事実があります。

これは、東大に入れるような子どもが育つ家庭は、最速で勉強をするために〝教育にお金をかけるのが当たり前〟という考え方を持っている家庭が多いからです。

「教育費をかけることは当然である」という家庭の子どもは塾に通わせてもらえるので、どんどん成績が上がります。

**人生のどこかで〝教育のためにお金をかけるのは当たり前〟という考え方にシフトしましょう。**

試行錯誤の時間をカットするために、お金を払って先生をつける。お金よりも時間を大切にする人が、勉強ができる人になれるのです。

Technique 01

# 勉強にお金をかけると高学歴のスパイラルに入れる

一番やってはいけない勉強法

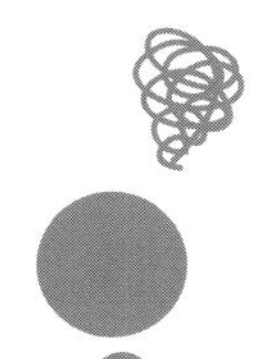

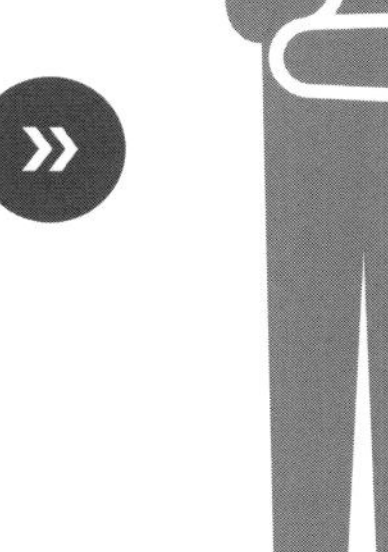

低学歴スパイラルに…

勉強にお金をかけるのは当然だ！

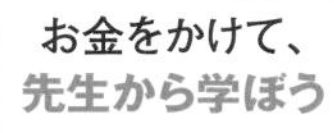

高学歴スパイラルに！

勉強法その2

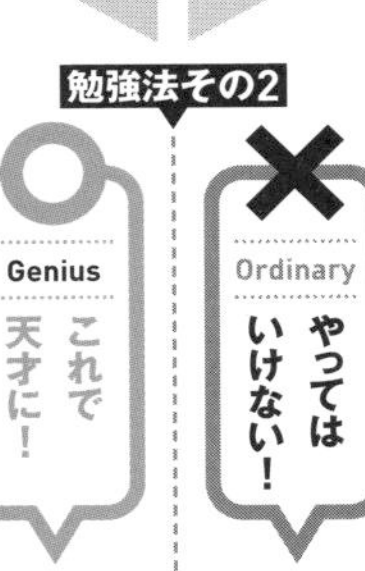


# 通信教育で済ませる

# 直接、話を聞いて教わる

最近は通信教育が流行しています。

スマートフォンやタブレットひとつで授業が受けられるので、通勤・通学の移動中でも簡単に受講できます。

また、地方に住んでいても都会にいる一流の先生の授業が受けられる時代になりました。

これは素晴らしいことです。やらないよりは、やったほうがいいでしょう。

ですが「通信教育を受けているから、それだけで安心だ」というのは間違いです。

どこかで「なるべくお金をかけずに勉強をしたい」と考えてはいないでしょうか。

## 教育への投資は利回りがいい

**教育投資の利回りは18％と言われています。** すべての金融商品の利回りを上回るのが、教育への投資なのです。

勉強のためのお金を年間１００万円以上かけても、いずれ何十年後に利子がついて戻ってきます。

## 長期の記憶には「体験」が不可欠

**先生のところに通うことのメリットは、実際に生の授業を聴くことで先生との人間関係ができる点が大きいです。**

先生に会いに行けば、あなたは授業中に寝てしまって、怒られることもあるかもしれません。

しかし、怒られたことが思い出になり、勉強の記憶にもつながります。

私自身、中学生のときに、壁に落書きをして、塾の国語の先生から怒られたことは、いまでも記憶に残っています。

ビデオ授業の内容は素晴らしいものであったとしても、10年後、20年後には忘れているはずです。

**長期の記憶に残るために必要なのは「体験」です。**

普通に暗記したことは10年後には忘れてしまいますが、体験したことは10年後でも記憶に残るのです。

# Technique 02 長期記憶に残すには「体験」が大切だ

## ✕ 通信教育だけでは不十分

**通信教育**

**メリット**

- 地方に住んでいても、一流の先生の授業を手軽に受けられる

**デメリット**

- 先生の息遣いが感じられない
- 先生とコミュニケーションが取れない
- 長期的な記憶に残りにくい

## ○ 通信教育だけではなく、先生と直接触れ合う勉強をしよう！

**直接、話を聞く教育**

**メリット**

- 先生の息遣いが感じられる
- 先生と人間関係がつくれる
- 勉強以外の出来事などでも長期の記憶に残る
- 「体験」を得られる

勉強法その3

やってはいけない！ Ordinary

# 家庭教師をつける

これで天才に！ Genius

# 塾に通う

「まわりの友達は授業についていけるが、私はついていけない。だから家庭教師を雇おう。そうすれば私にぴったりの授業をしてもらえるはずだ」と言う人がいます。

**しかし、家庭教師はつけないほうが賢明です。**

というのも、家庭教師は当たり外れが大きいからです。よくない家庭教師に当たったら時間の無駄になります。

外れの家庭教師だったときに「別の先生に代えてほしい」とお願いするのもストレスになります。

## 人気講師が人気なワケ

じつは、家庭教師は大学生のアルバイトが講師を務めているケースが多いです。

それより、**講師という職業で食べているプロの塾講師に習ったほうがいいに決まっています。**

お小遣い稼ぎのために家庭教師をやっている大学生にお金を払うのではなく、プロの塾講師にお金を払うのが正しいお金の使い方といえます。

もちろん、大学生で天才的な家庭教師はいますし、アルバイトの塾講師にも優秀な人はいるかもしれないので、見極めが必要です。

また、プロから教わることで「ああ、こう教えればいいんだな」ということもわかります。さらに、プロが教える塾では、ダメな先生はすぐに人気がなくなって淘汰(とうた)されます。

人気講師は最高の授業をするために知恵を絞っているからこそ、人気講師でいられるわけです。その人気講師のなかから、あなたにぴったりの先生を探しましょう。

## いい先生との出会いが人生を変える

**勉強は、成果を上げるためにおこなうものです。人生にとって思い出になるのは「いい先生にどれだけ出会えるか」です。**

先生に出会うことは、人生の楽しみの1つでもあります。いい先生に巡り会うためにも、厳選されたプロの塾講師に教わりに行くべきでしょう。

Technique 03

## 家庭教師は当たり外れが激しい

大学生のアルバイトが多い

よくない家庭教師は時間の無駄

「別の先生に変えてほしい」と
お願いするのも余計なストレス

**習うならプロの塾講師！**

勉強法その4

やってはいけない！ Ordinary

# 小論文を自分で練習して、上手になろうとする

これで天才に！ Genius

# 小論文は添削してもらって、上手になろうとする

文章は自分の力だけでは絶対に上達しません。

小説家になる人でさえ、最初から文章がうまかった人は少ないものです。私は作家志望の方に文章の書き方を教えていますが、文章は自分の力だけで上達するのは不可能だと感じています。

なぜなら、誰しもが「自分にとって最高の文章」を書いているからです。

だからこそ**「自分にとって最高の文章が、なぜほかの人にとっては読みづらいのか」を客観的に教えてもらうことでのみ、文章は上達します。**

好き勝手に書いて、偶然に素晴らしい文章になるということはありえないのです。

## 自分で間違いに気づけない

これは小論文だけの特殊な性質です。

英語・数学・理科・社会は模範解答を見れば、どんな人でも自分の間違いに気づけます。

ですが、小論文は自分の間違いに絶対に自分では気づくことができません。自分にとっての最高の文章が、ほかの人にとっても最高であるとは限らないからです。

## 小論文は多くの人に読んでもらおう

成績を上げるなら通信教育よりも塾がいいと前述しましたが、例外があります。それが小論文です。

通信教育をうまいこと利用すれば、多くの見知らぬ先生から小論文の指導を受けることで、自分の文章を客観的に添削してもらえるからです。

**こと小論文に関しては、いろいろな先生に読んでもらい、意見をもらうのが効果的な勉強法なのです。**

誤解してはいけませんが、なんでも自力でがんばるのは美徳ではありません。自力でどうにもならない場合はあります。

この小論文のように、いろいろな先生に添削されないと、成績が上がらない科目もあるのです。

## 小論文は通信教育が便利!

多くの
見知らぬ先生から
指導を受けられる

小論文は
自分で間違いに
絶対気づけない

客観的に添削してもらえる

勉強法その5

Ordinary やってはいけない！

# 漢字の勉強をする

Genius これで天才に！

# 漢字の勉強は一切しない

漢字の勉強は小学校のときまでは大切です。小学校レベルの漢字がわからないと、問題文も読めず、何を問われているのかがわからないからです。

ですが中学に入ったら、時間をかけて漢字の勉強をするのはオススメしません。

なぜかというと、**入試での配点が低いからです。** たとえば東京大学の入試問題でさえ、漢字問題は3問しか出てきません。

そして、問題の傾向としては次のとおりです。

1問は〝勉強しなくても知っている〟漢字。もう1問は〝勉強すればできるようになる〟漢字。残りの1問が〝勉強していても知っているはずがない〟漢字だと考えてください。

漢字問題の配点が1問2点で、6点満点だとします。勉強しなくても2点は取れますし、時間をかけて勉強しても4点しか取れないなら、その差はたった2点です。

この**2点のために勉強時間の多くを費やすのは、時間の無駄です。**

知らなくても困らない漢字を勉強するくらいならば、配点が高い英語・数学の勉強にその分の時間を使ったほうが、効率的に総合得点を上げることができるのです。

## 漢字を知らなくても実社会では困らない

「でも漢字を知らなかったら、社会に出てから困るじゃないか」こう言う方がいます。それなら社会に出てから困ればいいだけです。

しかも実際には、**小学校レベルの漢字を学んでいれば、社会人になって支障が出ることはまずありません。**

私自身、アナウンサーとして5年働きましたが、原稿には必ずふりがなが振ってあり、困ることはまったくありませんでした。

日本語の専門家であるアナウンサーでさえ困らないのですから、漢字を知らなくても社会に出て困ることは、ほとんどないと考えてもいいでしょう。

**試験に出るからといって、すべてを同じように勉強する必要はありません。**

試験の配点が低いものはどんどん捨て、配点が高いものに時間を充てていくのが正解です。

## Technique 05 中学校より先は漢字の勉強は捨てる！

**漢字問題**

カタカナに相当する漢字を楷書で書け。

| A.カクトク | B.タイダ | C.ゴビュウ |
|---|---|---|
| ↓ | ↓ | ↓ |
| **獲得** | **怠惰** | **誤謬** |
| 勉強しなくても<br>**知っている漢字** | 勉強すれば<br>**できるようになる漢字** | 勉強しても<br>**知るはずがない漢字** |

**漢字の勉強をしなくても**
**その差は2点くらいしかない**

難しい漢字が
読み書きできなくても、
**社会ではまったく困らない！**

勉強法その6

Ordinary やってはいけない!

# 1冊の参考書を繰り返す

Genius これで天才に!

# 現存する参考書はすべて買う

「同じ参考書を何度も繰り返しなさい」

学校でこのように教える先生は、とても多いです。

これは一見すると、正しいことのように聞こえます。たしかに、「同じ参考書を何度も繰り返す」勉強法は、凡人には正しいやり方です。

しかし天才にとっては、同じ参考書を何度も繰り返すのは意味がない勉強法です。なぜなら、天才は最終的に自然と**「瞬間記憶」**ができるようになるからです。

天才は「瞬間記憶」を使って勉強するわけですから、1冊の参考書を繰り返して勉強していたら、どうなるでしょう?

そう、1日の勉強が10分以内で終わってしまうだけなのです。

## 天才は参考書をすべて買う

「瞬間記憶」を使う場合、同じ内容のものを繰り返すより、異なる参考書をどんどん覚えたほうが、大量の情報を頭に入れることができます。

たとえば日本史を勉強する場合、1冊の参考書を繰り返すのと、200冊の参考書を頭に入れるのであれば、後者のほうが当然成績は上がります。

よって、**天才にとっての理想は「現存する参考書はすべて買う」です。**これが正しい勉強法になるのです。

## 天才は満点が取れて当然

全国模試で1位を取る実力者は、基本的には、模試でどんな問題が出ても解けます。

なぜならそのクラスになると、現存する問題のほぼすべてに目を通し、覚えているからです。すべての問題が「見たことのある問題」ならば、満点が取れて当然なのです。

もし知らない問題が出たら、彼らはこう思います。

**「あれ? この問題はどの参考書にも載ってない問題だぞ。私が見たことがない問題が出るなんて、なかなかやるな」**

このように思えるようになったら、天才として勉強をしている証拠なのです。

Technique 06

# すべての問題に見覚えがあれば誰でも満点が取れる

1冊の参考書を繰り返し勉強しよう

こんな問題
あの参考書には
載ってなかった

**これではずっと凡人のまま**

現存する参考書はすべて買うぞ!

あの参考書と同じ問題だ!

**「瞬間記憶」で天才の勉強法に!**

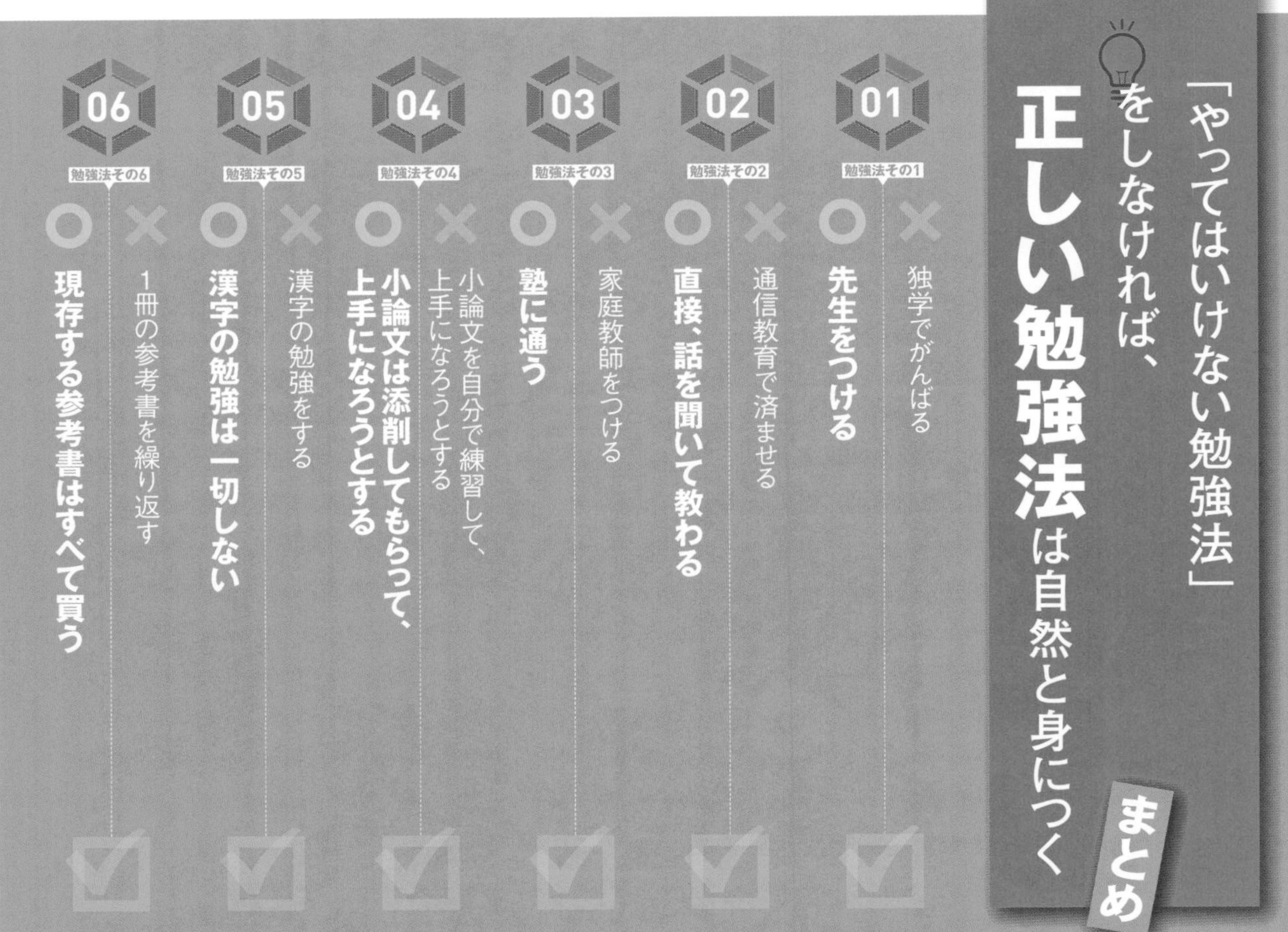


column

## スィートスポット理論って？

「努力次第で、どんな分野でも成功できる」と言う人がいます。

違います。

**何をしたかで、成功は決まります。**

テニスのラケットは、中央に「スィートスポット」と呼ばれる部分があります。うまくそこに当たればボールはよく飛び、外れればボールはあまり飛びません。

これと同様に、**誰の人生にも「これをすれば成功する」という分野が、最低3つは存在します。**しかし、それ以外のことをしても、たいして成功しません。

これが「**スィートスポット理論**」です。

たとえば、野球のイチロー選手は、野球で成功しました。ではテニスやサッカーなど他の分野でも成功したのかというと、そうではないはずです。

「成功はゴールではなくスタートに存在する」（中谷彰宏）という言葉があります。

自分のスィートスポットを見つけ、それに向かって努力をすることが、成功への道筋なのです。

Chapter 2

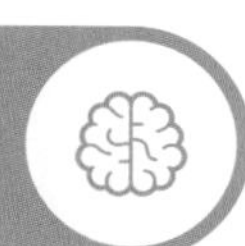

# やってはいけない「記憶法」

**勉強法その7** Technique 07

✕ いきなり暗記しようとする

○ **記憶のメカニズムを知ってから、暗記しようとする**

**勉強法その8** Technique 08

✕ いつか復習しようと思っている

○ **20分〜1時間後に復習する**

**勉強法その9** Technique 09

✕ 書いて覚える

○ **目で見て覚える**

**勉強法その10** Technique 10

✕ 机の前に座って覚える

○ **歩き回りながら音読する**

**勉強法その11** Technique 11

✕ 静かな場所で覚える

○ **わざと雑音があるところで覚える**

**勉強法その12** Technique 12

✕ 何も考えずに電車の席に座る

○ **連結部分の隣を狙って電車の席に座る**

**勉強法その13** Technique 13

✕ 黄色の蛍光ペン1色だけを使う

○ **赤・緑・黄・青の4色の蛍光ペンを使う**

**勉強法その14** Technique 14

✕ わからないものをわかるようにするのが勉強だ

○ **青→黄→緑→赤に昇格させていくことが勉強だ**

**勉強法その15** Technique 15

✕ 一発で覚えようとする

○ **3回以上、繰り返し見て覚えようとする**

**勉強法その16** Technique 16

✕ いっぺんに覚える

○ **分けて覚える**

**勉強法その17** Technique 17

✕ 覚えようとする

○ **忘れようとする**

07
Technique

勉強法その7

Ordinary
やってはいけない！
# いきなり暗記しようとする

Genius
これで天才に！
# 記憶のメカニズムを知ってから、暗記しようとする

「よし、暗記をするぞ」と、いきなり暗記をしようとする人がいます。

ダメです。その前に記憶のメカニズムを知って、暗記の天才になってから暗記をすれば、効率は上がります。

**①記憶のメカニズムを知る**
**②暗記をする**

というのが、正しい順番です。

もちろん「明日が試験だ」というのであれば、いきなり暗記をしなければいけません。ですが、そうではない場合は、まず記憶のメカニズムを知ることが大切です。

にもかかわらず、毎日、何も考えずいきなり暗記をしている人がどれだけ多いことでしょうか。記憶のメカニズムを知り、それにのっとった暗記をしたほうがはかどります。

勉強も同じです。**いきなり勉強を始めるのではなく、勉強法を知ってから勉強することで、効率が最大化されます。**

まずあなたがすべきことは、暗記をすることではなく、記憶のメカニズムを知ることなのです。

Technique
07
暗記する前に、記憶のメカニズムについて理解しておこう

08 Technique

勉強法その8

Ordinary ✕ やってはいけない！

# いつか復習しようと思っている

Genius これで天才に！

# 20分〜1時間後に復習する

「エビングハウスの忘却曲線」という有名な曲線があります。下の図のものです。

これは、記憶のメカニズムを知るためには、もっとも重要な曲線です。

「本気になったら、一発で覚えて一生忘れないのではないか」と勘違いする人がいますが、**本気になっても、脳はそもそも忘れるようにできています。**

なので、記憶するためには復習をすることは避けて通れません。

では、どのタイミングで復習をすればいいのかというと、**覚えてから20分〜1時間後です。** ちょうど半分忘れていて半分覚えているときに、もう一度記憶に定着させるのが効率的です。

テレビも、だいたい本編が20分経過するとCMが流れ、また本編が20分するとCMが流れるようになっています。同じCMを2回連続で流すより、半分忘れた20分後にもう一度流したほうが記憶に定着します。

同じように、20分〜1時間後にもう一度復習するのが一番いいのです。

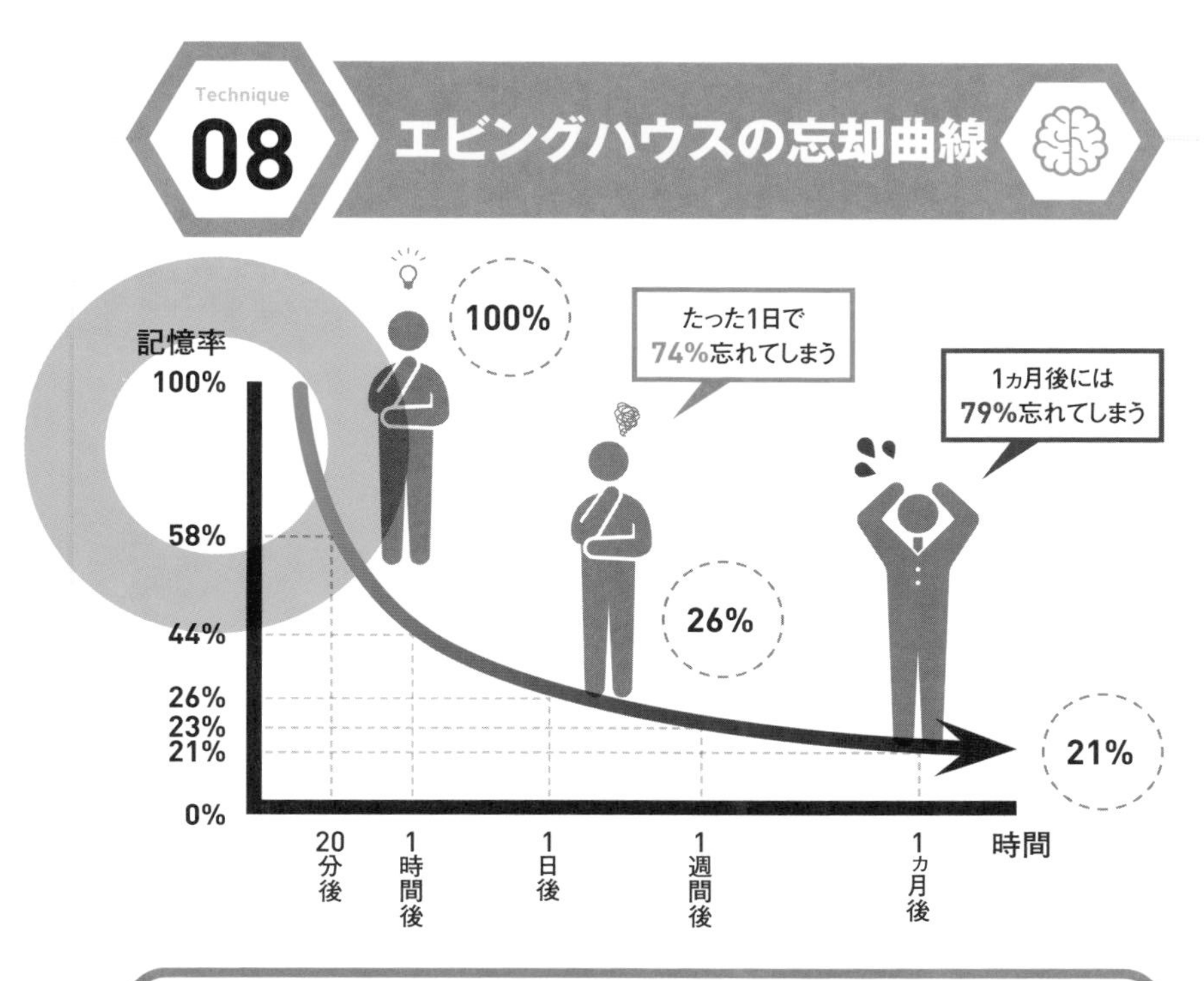

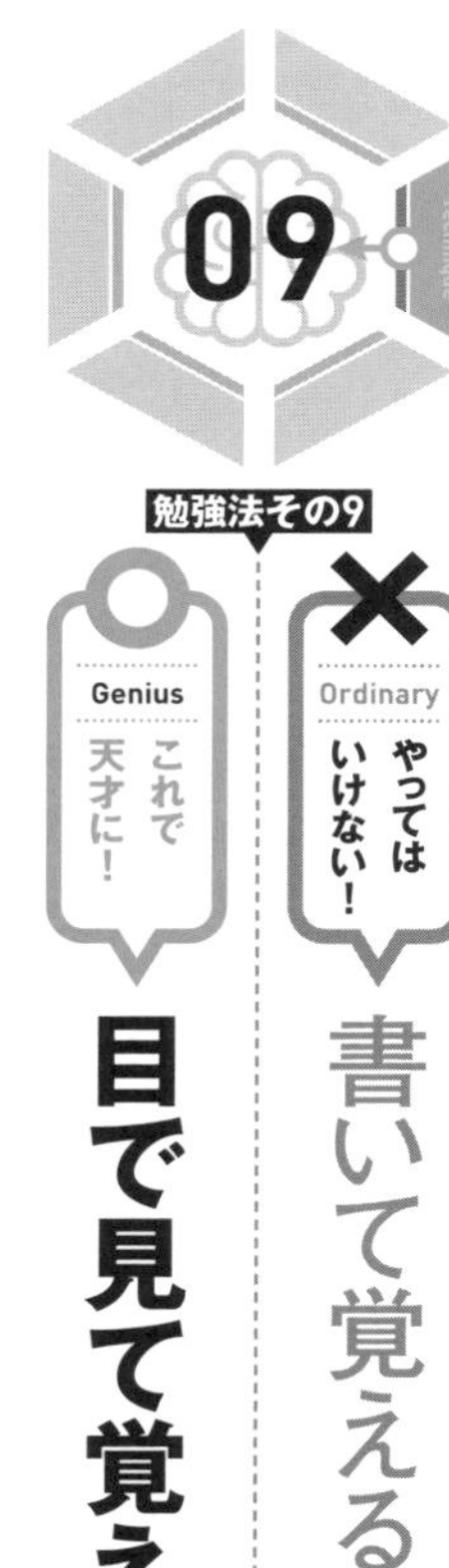


# 書いて覚える

# 目で見て覚える

「何回も書かないと、覚えられないんです」と言う人がいます。

やってはいけません。時間の無駄です。

**一番暗記の効率が悪くなるのが、「書いて覚える」やり方です。**

小学生なら書いて覚える方法が効果的です。ひらがな、カタカナ、漢字などは「書いて覚える」が正解でした。

ですが中学生なら、もう日本語の読み書きはできるのですから、「目で見て覚える」にシフトしなければいけません。

小学校時代の正しかったことを、高校生や大人になっても引きずっているのは、意味がないことです。

## 目で覚えればスピードは6倍に

たとえば、英単語を覚えるときに書いて覚えていたら、1単語につき6秒かかってしまいます。

そこで目で見て覚えれば、1単語1秒です。**スピードは6倍になります。**

書いて覚えたら、1単語につき6秒。つまり1分間で10回〝しか〟復習できません。

**しかし、目で見て覚えたら、1単語1秒で60回復習できることになります。**

記憶するために大切なのは、「**反復した回数**」です。

10回書いて60秒かけて覚えるよりも、60秒で60個の英単語を見て復習したほうが、記憶は定着します。

そのほうが、同じ時間でたくさん反復できるからです。

たとえば、私たちは3歳のときまでに日本語をだいたい覚えますが、「書いて日本語を覚えた」という子どもは誰もいません。

これは周りの人々が話している日本語を何度も耳で聞いて、親が話している姿を目で見て覚えたということです。

日本語は耳で聞いて、目で見て覚えたわけですから、英語や他の科目でも同じことができるはずなのです。

いちいち書いて覚えるのではなく、**目で見て、ひたすら反復回数を増やしていき定着させる。**

「瞬間記憶」のトレーニングは、目で見て覚えるところからスタートするのです。

Technique 09

# 記憶で大切なのは どれだけたくさん反復できるかだ

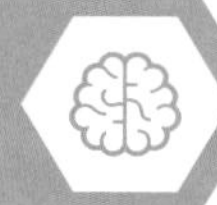

もっとも非効率な勉強法!

書いて覚える勉強法

1単語6秒かかるなら**60秒で10単語だけ**

書いて覚えるより効率は6倍!

目で見て覚える勉強法

1単語1秒なら**60秒で60単語も!**

勉強法その10

✕ Ordinary やってはいけない！

# 机の前に座って覚える

Genius これで天才に！

# 歩き回りながら音読する

前述のように、目で見て覚えることも効果的ですが、さらに広くいえば**「五感を使って覚える」**というのが、もっとも記憶に定着します。

目で見て、口で音読して、歩き回りながら覚える。これが、もっとも効率的です。私はこれを**「二宮金次郎式暗記法」**と名付けています。

一度は学校で見たことがあると思いますが、二宮金次郎の銅像は、本を持ちながら歩いて、ブツブツ言いながら勉強している姿になっています。

重い薪を背負っていますが、これは自分に負荷をかけることでさらに五感を刺激して、暗記がはかどる効果があるのでは、と私は考えています。

## 二宮金次郎式暗記法

実際、私はリュックサックやランドセルを背負って、ブツブツ言って歩きながら暗記をしたら、さらに効果が高まると考え実践しました。そのため、受験時代は手さげカバンではなくリュックサックを背負って、塾に通っていました。

そうすることで、五感をより刺激し、勉強の効率を高めていったのです。

「二宮金次郎式暗記法」は、確かにほかの人に見られたら恥ずかしいという弱点はあります。

ですが、**同じ時間を効率的に使い、記憶させるという観点から見たら「二宮金次郎式暗記法」がベストなのです。**

## 手さげカバンをリュックにすればいい！

もし、あなたが手さげカバンで通学・通勤しているのであれば、**リュックサックに替えてみましょう。**

両手が自由になり、通学・通勤途中でも本や参考書を読むなどして勉強に励むことができます。

五感を刺激し効率を上げることに加えて、時間を有効活用することもできるのです。

Technique 10

# 五感と体を使って暗記しよう

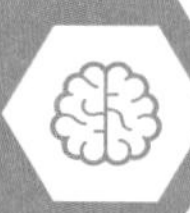

×

**机に座って無言で集中!**

……………

○

**勉強中はリュックサックで**

●※△■☆●※……

**二宮金次郎式暗記法で**
**五感を使って効率UP!**

勉強法その11

Ordinary やってはいけない！

# 静かな場所で覚える

Genius これで天才に！

# わざと雑音があるところで覚える

「勉強するためには、静かな場所が一番いいはずだ」

こう、当たり前のように思っている人がいます。

違います。

わざと少し雑音があるところで勉強をするのが、もっとも効果的です。

なぜなら、雑音をシャットアウトした瞬間に、人は集中状態に入るからです。

**最初からまわりが無音状態だと、逆に落ち着かなくなって集中できません。**

## 適度な雑音が一番集中できる

もちろん、**うるさすぎる場所で勉強しようとするのも、間違っています。**適度な雑音が一番です。

以前、電車が通る線路沿いに住んでいたことがあるのですが、不定期に電車が通って集中が削がれるので、なるべく図書館や自習室に行って勉強をしていました。

図書館や喫茶店など適度な雑音があるところを見つけて、そこで勉強するようにしましょう。

注意しなければならないのが、無音がダメだからといって、音楽を聴きながら勉強することです。

## 音楽を聴くのはNG

音楽を聴きながら勉強をすることは、多くの人がやりがちな勉強法です。

**しかし、音楽を聴きながら勉強をするのは、もってのほかです。**

とくに日本語の曲は、歌詞が気になって勉強に集中できなくなります。

また、〝川のせせらぎ〟のような「α(アルファ)波が出て集中できますよ」という謳(うた)い文句の音楽も試したのですが、逆にα波がないときに集中力が落ちるという習慣になりかねませんので、オススメはできません。

適度な雑音のなかで勉強するのが一番集中できるのです。

Technique 11

# 適度な雑音は勉強に最適

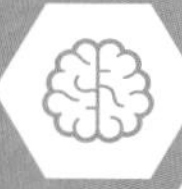

勉強法その12

Ordinary やってはいけない！
# 何も考えずに電車の席に座る

Genius これで天才に！
# 連結部分の隣を狙って電車の席に座る

通学や通勤中、何も考えずに電車に乗っている方がほとんどです。「座れたらラッキー」くらいにしか考えていません。

しかし、これは非常にもったいないことです。

なぜなら、電車は30分、1時間と、まとまった勉強時間が取れる貴重な乗り物です。

いままで、スマホを見たりして無駄に過ごしていた電車という空間を「適度な雑音がある勉強部屋」とすることができれば、時間を有効活用できるわけです。

では、電車に乗るときどこの座席に座るのがいいのでしょうか。

答えは、決まっています。

**「連結部分の隣の席」**です。

この席は横に机のようにモノを置ける場所もあるので、勉強には最適です。

近くで人の会話が聞こえてくると、その内容が気になってしまい、どうしても集中が削がれてしまいます。

しかし、連結部分の隣の席はそんな心配もありません。

ガタンゴトンという車輪の雑音のほうが耳に入るので、集中するための環境としてはもってこいと言えます。

## ホームで待つ場所も要注意

「電車に乗るときの特等席」がわかれば、ホームで並ぶ場所も決まってきます。

**向かって右に連結部分がある車両の場合は、一番右に並びます。**

**向かって左に連結部分がある車両の場合は、一番左に並びます。**

これを習慣づけるだけで、電車は最高の勉強部屋に変わるのです。

もしかすると、ここを読んだ方の中には「たかだが電車に乗るために、ここまでやるのか」

と思ってしまった人もいるかもしれません。

しかし、ここまでやるのです。「神は細部(さいぶ)に宿る」と言われます。

**細部までこだわって行動できる人が、勉強の天才になれる人です。**

ちりも積もれば山となります。時間を無駄にしてはいけません。

日常生活でちょっとした時間を見つけたら、その時間に勉強できないか考えるべきなのです。

# Technique 12 電車に並ぶときは連結部分の隣に座れる場所を狙う

## 勉強の時間を無駄にしている

何も考えずに
とりあえず並ぼう

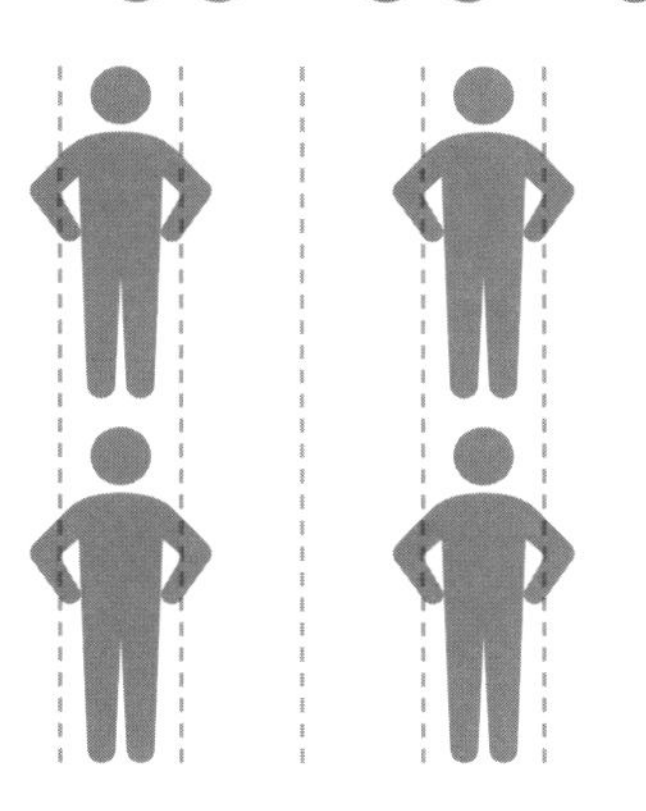

## 電車に並ぶときも戦略的に

ここに並ぶぞ!

ここに並ぶか

勉強法その13

Ordinary やってはいけない！ ✕

## 黄色の蛍光ペン1色だけを使う

Genius これで天才に！

## 赤・緑・黄・青の4色の蛍光ペンを使う

「蛍光ペンでアンダーラインを引こう」

そう言って、いつも黄色の蛍光ペンだけを持ち歩いている人がいます。

蛍光ペンを使って勉強することは間違いではありません。ですが、蛍光ペンは1色だけではなく4色を使いましょう。

4色というのも、なんでもいいわけではありません。

**赤・緑・黄・青の4色です。**

### 4つの色を使って右脳を刺激する

「右脳は色に反応する」ので、色を使って勉強するのは基本です。とはいえ、色の使いすぎは禁物です。たとえば12色も使ってしまったら「次はどの色にしようかな」という無駄な時間が生じることになります。

その点、4色というのはちょうどいい数です。テレビのリモコンのカラーボタンも赤・緑・黄・青の4色ですし、幼児教育で使われるフラフープもこの4色です。

赤・緑・黄・青に、それぞれ意味を当てはめて右脳を刺激するのが正解なのです。

### 色にはそれぞれ意味をつけて使おう

暗記をするときには、

**赤 → 見た瞬間に0秒で意味がわかるもの**
**緑 → 3秒くらい考えて意味がわかるもの。うろ覚えのもの**
**黄 → 見たことはあるが、意味はわからないもの**
**青 → 見たことも聞いたこともないもの**

このような意味で使い分け、アンダーラインを引きます。

そうすると、緑のものを暗記するのがもっともストレスが少なく、最短で覚えることができるものだということになります。

時間があれば黄色を緑に昇格させ、青を黄色に昇格させていくために、何度も眺めたり、音読したりします。こうすることで、右脳を活性化させて記憶できるようになるのです。

さらに、日本史・世界史の場合は次のように使います。

**赤 → 人名**
**緑 → 事件・出来事**
**黄 → その他**
**青 → 年号**

たとえば世界史の場合、「ハンニバル」という言葉が出てきたときに、人名なのか、国の名前なのか、通貨の名前なのか、事件の名前なのかがわからないと、暗記をするときに支障が出ます。

常にこの4色に色分けをしてから教科書・参考書を眺めることで「瞬間記憶」の際にとてもスムーズに覚えられるのです。

## 「瞬間記憶」のために4色分けは必要

たまに「色を塗る時間がもったいないのではないか」と言う方がいるのですが、そんなことはありません。

最終的に**「『瞬間記憶』をいかにスムーズにしていけるか」**ということのために準備をするのが、天才の勉強法です。

ウルトラマンにたとえると、スペシウム光線を出すまでに、怪獣を投げ飛ばし弱体化させていくのが、4色に分けていく作業です。

Technique 13

## 4色の蛍光ペンを使い右脳を刺激して勉強する

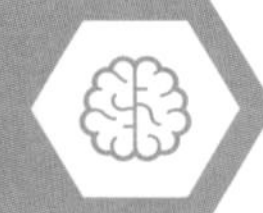

4色の蛍光ペンで意味別に色分けしよう!

**暗記をする場合**

| | |
|---|---|
| 赤 | 見た瞬間に0秒で意味がわかるもの |
| 緑 | 3秒くらい考えて意味がわかるもの |
| 黄 | 見たことはあるが、意味はわからないもの |
| 青 | 見たことも聞いたこともないもの |

**歴史科目の場合**

| | |
|---|---|
| 赤 | 人名 |
| 緑 | 事件・出来事 |
| 黄 | その他 |
| 青 | 年号 |

勉強法その14

やってはいけない！ Ordinary

## わからないものをわかるようにするのが勉強だ

これで天才に！ Genius

# 青→黄→緑→赤に昇格させていくことが勉強だ

色分けに関して、掘り下げていきます。

「学校の授業を聞いて、わからないことをわかるようにしていくのが勉強だ」

と、当たり前のように考えている人は多いです。もし本当にそうならば、学校の授業を受けている人は全員成績が上がって、全員が東大に合格できていなければおかしいです。

つまり**「わからないことをわかるようにすることだけが勉強なのではない」**ということに気づく必要があるのです。

**「知らない」→「見たことがある」**

勉強には4段階あります（左ページの図を参照）。**青のものを黄に、黄のものを緑に、緑のものを赤に昇格させていくことが、勉強なのです。**

まず、青の「見たことも聞いたこともない」状態では、何も頭に入ってきません。

たとえば、理科で出てくる「ブラウン運動」という言葉をまったく知らなければ先へ進めません。まずは「ブラウン運動という言葉を、最近何回も聞くなあ。意味はわからないけど」という状態になる必要があります。

**この「まったく知らない状態→見たことがある」という青→黄の段階にかけて、一番有効なのが「音読」です。**

何度も口に出していれば、馴染みのある言葉になっていきます。

次は、黄→緑にしていく作業です。

ここが**「わからないものをわかるようにする」**という作業で、学校の授業や塾の授業はこの部分を担っています。「わからないものを、わかるようにするのが勉強だ」というのは、勉強の全体像の3分の1しか、捉えていないということだったわけです。

この段階で「微粒子（びりゅうし）がランダムに動く運動のことを、ブラウン運動というのだ」ということがわかれば、「ブラウン運動か。微粒子がランダムに動く運動のことだな」ということが腑（ふ）に落ちます。

次に、緑→赤にしていく作業です。

「ブラウン運動か。えーっと、なんだっけ。あ、そうそう、微粒子がランダムに動く運動か」と、見て3秒くらい考えて思い出せる状態（うろ覚えの状態）が、緑の状態です。

そして最後に、うろ覚えの状態から、見た瞬間に0秒でわかる状態にしていくと、完璧な記憶になるというわけです。

一般に勉強は、

「青↓黄↓緑↓赤」

という順番でしていきますが、青↓黄がストレスがかかります。大変だからです。

とはいえこの「青↓黄」は避けて通れないので、挑戦が必要です。見たことも聞いたこともないものを、馴染みのある状態にするのはまったく知らないものを見たことがある状態にすれば、次のステージに行けるからです。

**一番時間がかからず、成績に直結するのは、「緑↓赤」の作業です。**ここは「瞬間記憶」の出番です。

とにかく、大量のうろ覚えのものをどんどん目に入れていけば、記憶に定着させていくことができます。

多くの受験生が「わからないものをわかるようにする」という、「黄↓緑」の作業に一番多くの時間を費やしています。**それよりも大切なのは「緑↓赤」の作業です。**

もっともストレスが少なく、成績が上がるのですから、この作業をしない手はないでしょう。

なので、あなたが勉強に取り掛かる順番は、下の図の①↓②↓③の順番なのです。

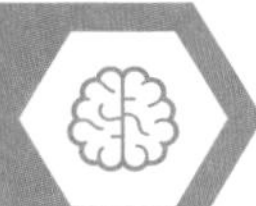

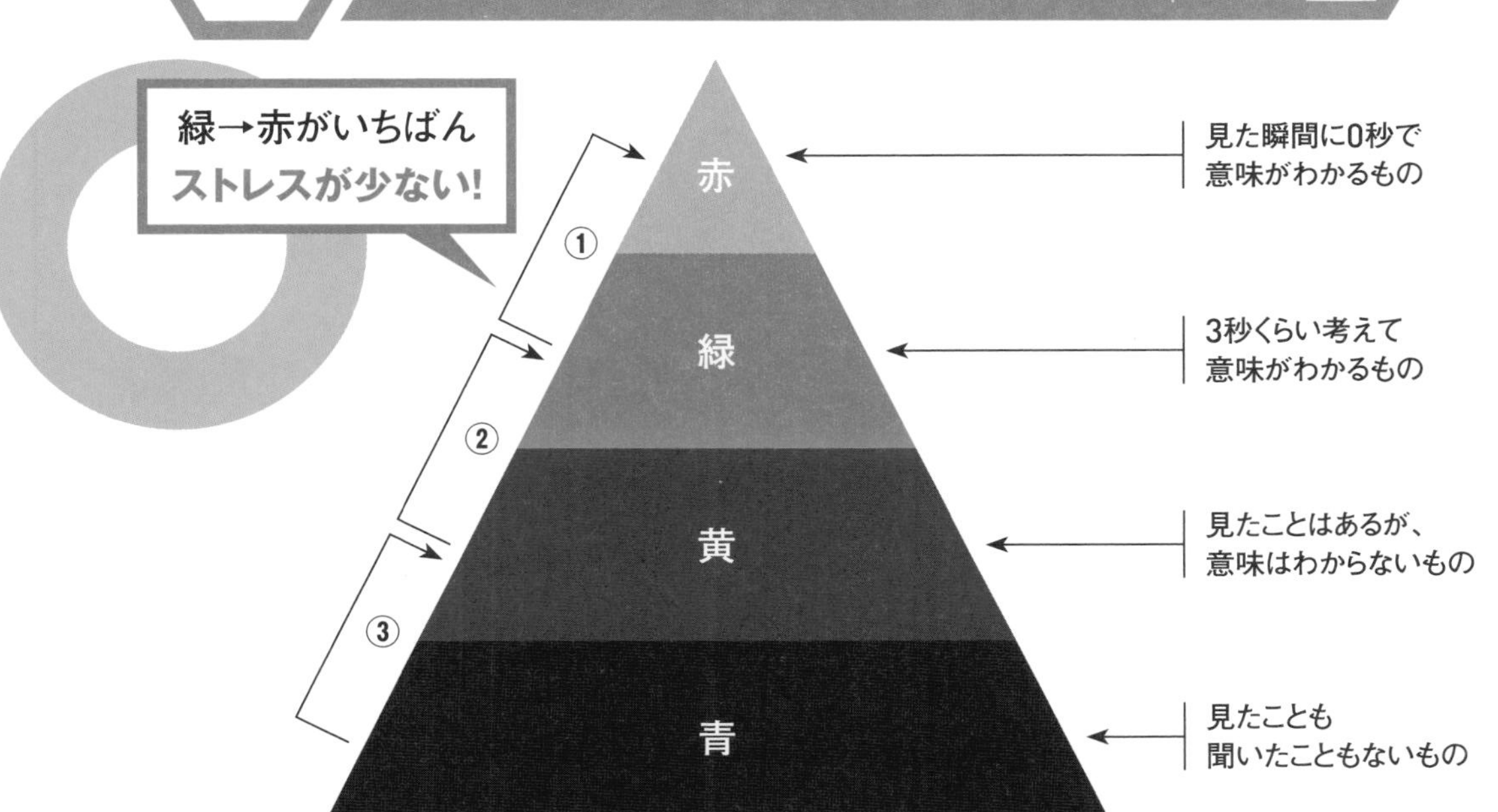

勉強法その15

✕ Ordinary やってはいけない!

## 一発で覚えようとする

Genius これで天才に!

# 3回以上、繰り返し見て覚えようとする

「瞬間記憶」を、一発で見てすべてを暗記することを指していると思う方がいます。たとえ一発で覚えても、それは一発で忘れる記憶と同義だと考えてください。

**「脳は、繰り返されたものを大切なものだと感じる」**という特徴があります。なので**「少なくとも3回は見て覚えるのが、瞬間記憶である」**と考えてください。

記憶には長期記憶と短期記憶があります。

短期記憶…20秒以内

長期記憶…20秒以上

基本的にテレビのCMは15秒、ラジオのCMは20秒です。**短期記憶に訴え、何度も繰り返すことで、長期記憶に移していくのが正しい記憶法です。**なので、一度見て覚えて忘れないことを目指すより、3回以上見て忘れないことを目指したほうがいいのです。

## ジャブKO法をやってみよう

「倒すのではない。当てるんだ。そうすれば勝てる」という、ボクサーのモハメド・アリの言葉があります。一発の右ストレートで倒すのではありません。何度もジャブを打つことで相手を倒していくのです。

**暗記も同様に、とにかくジャブを当てていくことが必勝法です。**私はこの方法のことを「ジャブKO法」と呼んでいます。

では、どのくらいジャブを打つのが瞬間記憶にはいいのかというと、

**①3回繰り返し見て覚える→大天才レベル**
**②9回繰り返し見て覚える→かなりな天才レベル**
**③21回繰り返し見て覚える→天才レベル**

という基準があると考えてください。

「1回見ただけで覚えたよ」という超天才の人もいるかもしれませんが、そういう人は、1ヵ月後に忘れているケースも多いです。

記憶への定着を考えたら**「最低3回は見て覚える」**というのが成功イメージです。

# Technique 15 21回繰り返して覚える「ジャブKO法」が暗記の必勝法

✕ 1回で覚えたつもりになっても1ヵ月後には忘れている

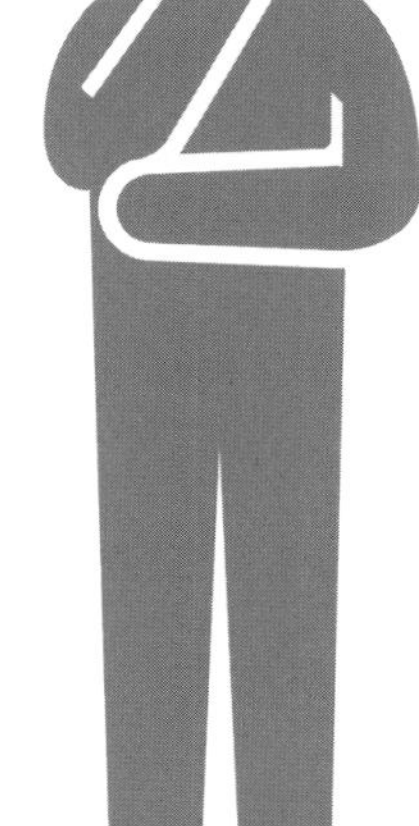

○ 21回の「瞬間記憶」を繰り返して記憶に定着させていく

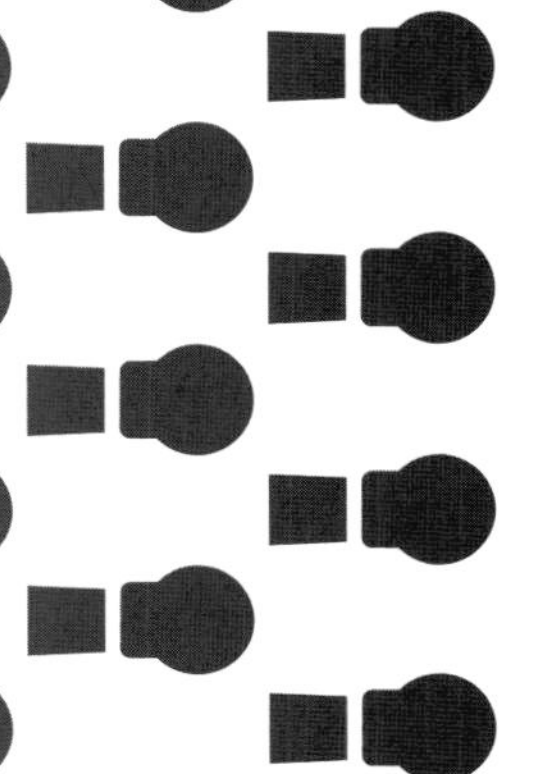

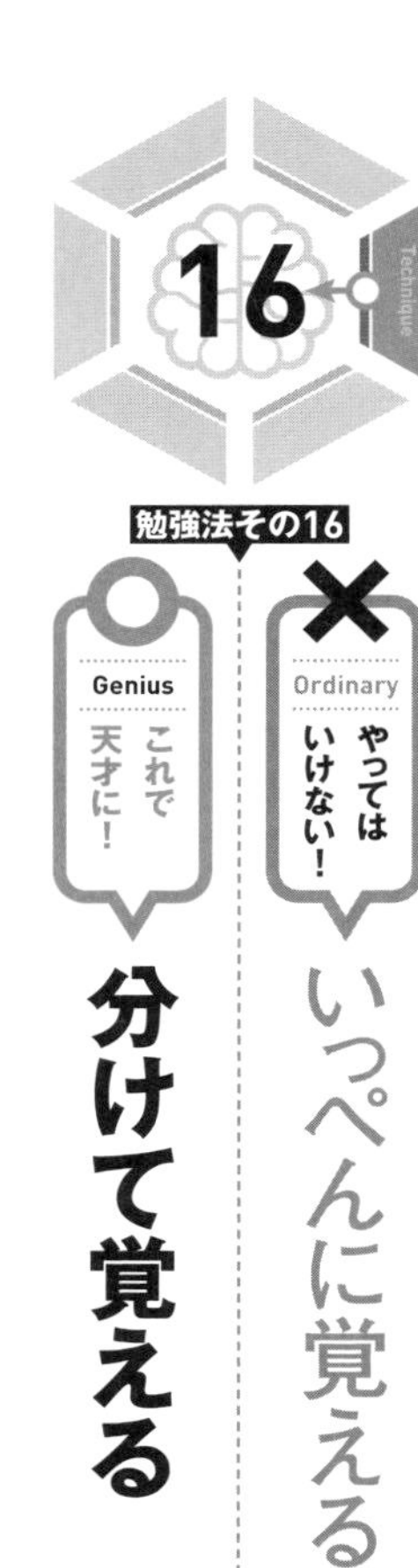


# いっぺんに覚える

# 分けて覚える

「1単語1秒で、目で見て覚えたら、英語の綴り（スペル）が覚えられないじゃないか」と言う人がいます。

その通りです。

**綴りは無視してください。**意味を覚えることと、綴りを覚えることは、分けて考えてください。

**やってはいけない暗記術の1つが、いっぺんに覚えようとすることです。**

英単語を覚えるときに、一度に意味と綴りを覚えようとするのは、逆に遅くなるだけです。最初に英単語の意味だけを覚えて、そのあとに綴りだけを覚えればいいのです。

日本語も、同じです。「憂鬱」「薔薇」という漢字は、読めますが、書けませんよね？

**まず読める状態をつくってから、綴りを覚えたければ、書いて覚えればいいのです。**

綴りは「書け」と出題されるので、書いて覚えるしか方法はありません。

しかし、すでに意味がわかっている状態なので、数回書けば覚えられるはずです。よく、英単語の意味と綴りをまとめていっぺんに覚えたほうが早いのではないかと思っている人がいますが、それはまったく違います。

## いっぺんに覚えていると時間が足りない

いっぺんに覚えていると、1単語あたり定着するスピードが遅くなってしまうので、最終的に時間切れでゲームオーバーになってしまう可能性もあります。

・目で見て、意味だけ1600語覚えた
・綴りも同時に覚えようとして、最初の1200語しか覚えられなかった

この両者の場合、前者のほうが時間対効果は高く、選択すべき勉強法なのです。

なぜなら、試験は、**時間との闘いだからです。**

いくら正確に英単語の綴りが書けたとしても、そのぶんだけ覚えている英単語の量が少なかったり、その時間だけ英熟語を覚えている量が少なかったとしたら、入試本番で思うように得点が取れません。

**英単語を書けるようになっても、覚えている英単語の数が少なければ、本末転倒になってしまいます。**

## 正しい時間配分こそが重要

また、仮に英語を完璧に仕上げても、時間がかかりすぎてしまえば、他の科目にまで手が回らないという事態になります。

たとえば、大学受験で考えてみると、私立の大学を志望する場合でも、英語・国語（数学）・社会（理科）の3科目が必要とされることが多いです。

国立の大学を志望する場合、これよりさらに多くの科目が必要になります。

そのことから考えても、勉強する優先順位を明確にし、優先順位が高いものを、時間対効果が高い方法で取り組んでいくことが賢明と言えるでしょう。

その点、英語に関しては、まず**英単語の意味だけを覚えて、余力があったら、あとから綴りも覚える**というのが、限られた受験勉強の期間において正しい時間配分なのです。

Technique 16

## 英単語の場合、意味と綴りは「分けて」覚えよう

「書け」問題

書いて覚える!

「読め」問題

見て覚える!

やってはいけない！ Ordinary ✕

# 覚えようとする

これで天才に！ Genius ○

# 忘れようとする

「覚えなければ！」と気合いを入れて暗記をしている人がいます。

その場合、ほとんど覚えられないはずです。

「覚えなければいけない」と思うと、失敗します。「やっぱり覚えられなかった。暗記は苦手だ」となるわけです。

では、どうすればいいのでしょうか。

そう。**覚えたいなら、忘れようとすればいいのです。**

## 巨人の星で、なぜ魔球が生まれたのか

マンガ『巨人の星』で、主人公の星飛雄馬が魔球を編み出すために、禅寺の和尚のところに修行に行くシーンがあります。

座禅を組む飛雄馬の肩を和尚が棒で叩いて、こう言ったのです。

「打たれまい、打たれまいとするから、打たれるのだ。一歩進んで、打ってもらおう。この気持ちがあれば打たれないのだ」

ここで飛雄馬は衝撃を受け、インスピレーションが湧きます。そして「わざとボールをバッターのバットに当てて凡打にする」という大リーグボール1号が誕生するのです。

暗記も同じです。

**「覚えよう、覚えようとするから、忘れるのだ。一歩進んで、忘れよう、忘れようとすれば覚えられる」**

これが天才の暗記法です。天才は、忘れることにわざと失敗することで暗記をするのです。

## 忘れようとすればするほど覚えられる

凡人は、覚えようとして、失敗して、覚えられないという結果が待っています。天才は、忘れることにわざと失敗することで暗記をするのです。

あなたは、暗記をするときに「がんばって覚えるぞ」としていなかったでしょうか。

違います。**忘れようとすればするほど、結果として覚えられるのです。**

天才として勉強をするということは、凡人とは逆のことをするということなのです。

Technique 17

# 忘れようと努力して失敗し結果的に「覚えている」状態に

## 凡人は覚えようとして失敗し、忘れてしまう

## 天才は忘れようとして失敗し、覚えている状態をつくる

覚えてる!

忘れよう! 忘れよう!

**凡人とは逆の発想をしよう!**

# やってはいけない「記憶法」まとめ

**07** 勉強法その7
× いきなり暗記しようとする
○ **記憶のメカニズムを知ってから、暗記しようとする**

**08** 勉強法その8
× いつか復習しようと思っている
○ **20分～1時間後に復習する**

**09** 勉強法その9
× 書いて覚える
○ **目で見て覚える**

**10** 勉強法その10
× 机の前に座って覚える
○ **歩き回りながら音読する**

**11** 勉強法その11
× 静かな場所で覚える
○ **わざと雑音があるところで覚える**

**12** 勉強法その12
× 何も考えずに電車の席に座る
○ **連結部分の隣を狙って電車の席に座る**

**13** 勉強法その13
× 黄色の蛍光ペン1色だけを使う
○ **赤・緑・黄・青の4色の蛍光ペンを使う**

**14** 勉強法その14
× わからないものをわかるようにするのが勉強だ
○ **青→黄→緑→赤に昇格させていくことが勉強だ**

**15** 勉強法その15
× 一発で覚えようとする
○ **3回以上、繰り返し見て覚えようとする**

**16** 勉強法その16
× いっぺんに覚える
○ **分けて覚える**

**17** 勉強法その17
× 覚えようとする
○ **忘れようとする**

## column

### 答えを間違ったら、記憶のフックにするチャンスだと思おう

答えを間違えたら、消しゴムで消してはいけません。間違った答えにバツをつけて、横に正解を書きます。**間違ったことを逆手にとって、記憶のフックにするのです。**

「間違う」というのは、なかなか意図的にできることではありません。

無意識に間違ってしまった問題は、勝手に思い込みをしていた問題です。逆に記憶に定着させるチャンスと考えて、利用するのが、正しい記憶法なのです。

Technique

# 18~31

Chapter 3

# やってはいけない「英語勉強法」

**勉強法その18** Technique 18

✕ 学校の教科書を使って、英語を覚える

○ **参考書・問題集を使って、英語を勉強する**

**勉強法その19** Technique 19

✕ 辞書を引く

○ **頭のなかに辞書をつくる**

**勉強法その20** Technique 20

✕ 配点が高いので、まずは長文のトレーニングをする

○ **偏差値65になるまでは、英語の長文は一切読まない**

**勉強法その21** Technique 21

✕ 長文を読みながら、同時に英単語・英熟語・英文法を学ぶ

○ **英単語→英熟語→英文法→長文の順で勉強する**

**勉強法その22** Technique 22

✕ 英単語帳を、最初のページから覚える

○ **名詞→動詞→形容詞→副詞の順番で覚える**

**勉強法その23** Technique 23

✕ 1冊の英単語帳を使う

○ **英単語帳を9冊使う**

**勉強法その24** Technique 24

✕ 例文が書いてある英単語帳を使う

○ **例文が書いていない英単語帳を使う**

**勉強法その25** Technique 25

✕ 市販の英単語帳だけを使う

○ **自作の英単語帳をつくる**

**勉強法その26** Technique 26

✕ 長文の全訳を書く

○ **長文を1行1秒で読む**

**勉強法その27** Technique 27

✕ 1日1長文読む

○ **1日20長文読む**

**勉強法その28** Technique28

✕ 試験1週間前は、長文読解はおこなわない

○ **試験1週間前も、長文読解はおこなう**

**勉強法その29** Technique 29

✕ 短い長文問題から解く

○ **長い長文問題から解く**

**勉強法その30** Technique 30

✕ 英単語を、語呂合わせで覚える

○ **英単語は、単純反復で覚える**

**勉強法その31** Technique 31

✕ 「気合で暗記すればなんとかなる」と思っている

○ **単純記憶とイメージ記憶で使い分けている**

# 学校の教科書を使って、英語を覚える

# 参考書・問題集を使って、英語を勉強する

「学校ではちゃんと英語の授業がある。だから学校の教科書を完璧にしておけば成績は上がるはずだ」

世間では、英語の勉強に関してこのように考えている方がいます。

しかしこれは、明らかに間違っています。

学校の授業を受けているだけで英語の成績が上がるのであれば、誰でも東大合格レベルの英語力が身についていることになってしまいます。

でも、そんなわけがないことは、あなたもよくご存じのはずです。

## 英語の教科書の内容は入試では出題されない

**実際のところ、学校や教科書で習った英語というのは、あまり入試本番では出題されません。**

なぜなら、もし英語の教科書に書いてあることが試験に出たら、誰でも満点が取れてしまうことになり、試験が成立しないからです。

このため、教科書とは関係ないところから、大学入試の英語試験の問題は出題されるのです。

**ただし、日本史・世界史に関しては別です。こうした歴史の教科書に関しては、学校の教科書から出題されるケースが多いです。**そのため、日本史や世界史は、教科書を使った勉強法が正しいです。

**ですが英語に関しては、教科書に載っている文章がそのまま出るということはまずありえません。**英語を勉強する場合には、まずこのことを念頭に置いておくことが大切なのです。

では、英語の勉強はどうやっておこなえばいいのでしょうか。

**正解は、参考書や問題集を使って勉強する、**ということです。本番の入試で出題されるのはここからだからです。

このことを理解していないと、意味のない勉強をしてしまいます。

正直な話をすると、私自身、学校での英語の授業は、ほとんど聞いていませんでした。そのため、学校のテストではなかなか点が取れず、英語の成績は平均点以下でした。

にもかかわらず、全国模試の英語では1位を取れていました。

それだけ学校の英語の授業と、入試の英語の内容は異なります。

**入試に出るところは勉強するが、入試に出ないところは勉強しない。**試験の合格が目標ならば、これが正しい勉強法なのです。

Technique 18

# 英語は教科書で勉強しても試験本番では役に立たない

## ✕ 英語は授業や教科書で勉強しようとしても意味がない

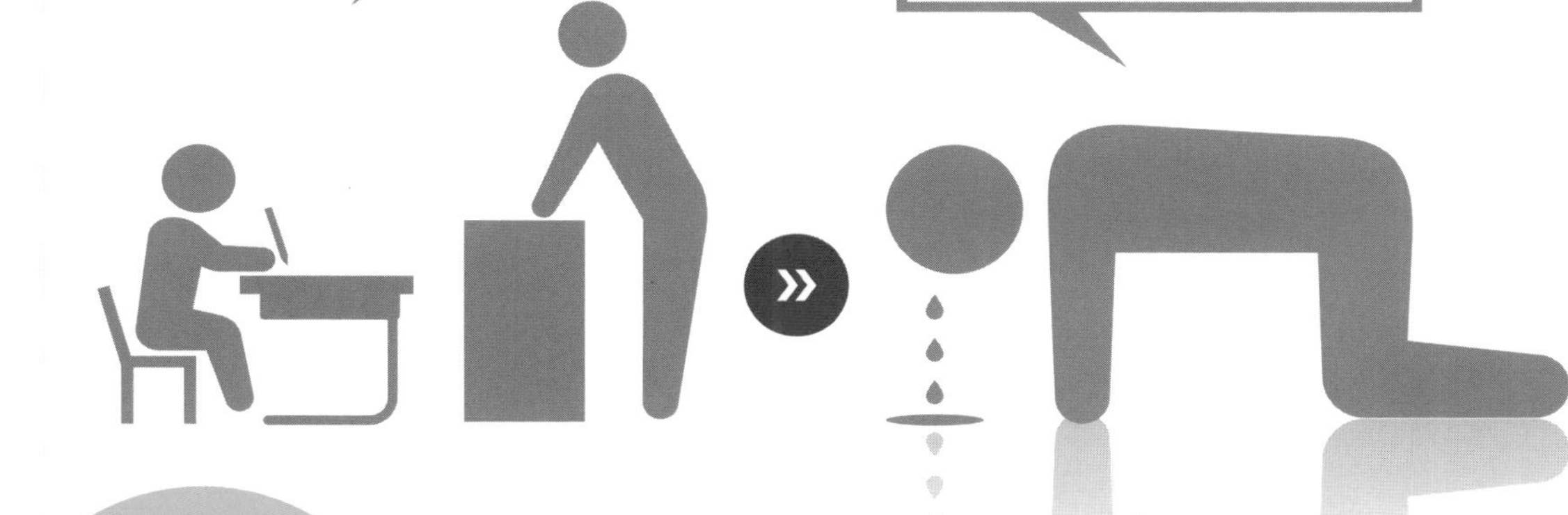


## ○ 入試本番で出題される参考書や問題集をしっかり勉強！

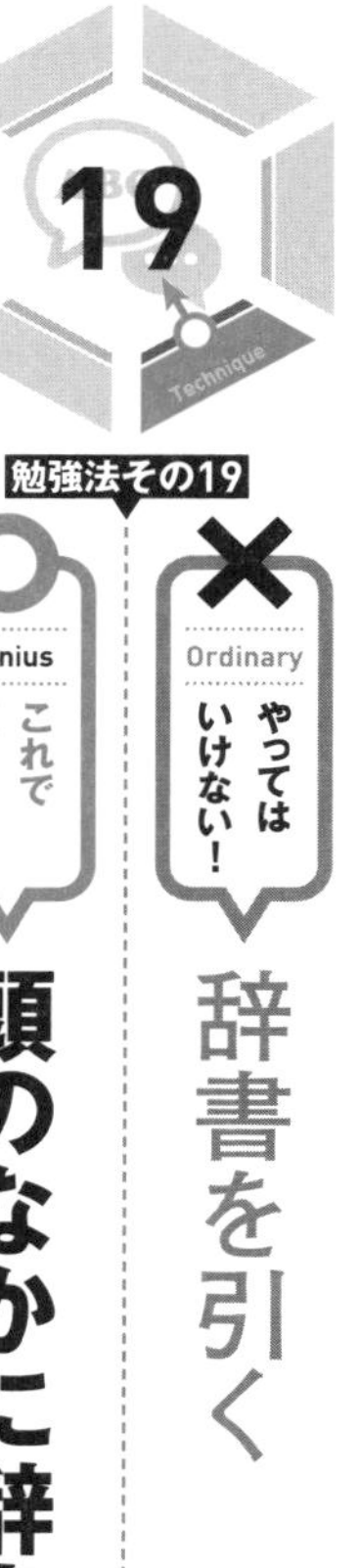


辞書を引く

# 頭のなかに辞書をつくる

英語の勉強で辞書を使っている人がいます。

ですが、**辞書を引いている時間が、英語の勉強のなかではもっとも無駄な時間です。**わからない英単語があって、辞書を引いていたら、30秒～1分くらいの時間が経過してしまいます。

1分あれば、1単語1秒で、60個の英単語の復習をしたほうが効率的です。それに辞書を引いて調べるのに1分かかるのであれば、先生に聞いたほうが早いです。「いつも辞書を持ち歩きなさい」と言う先生がいますが、辞書を持ち歩くのは重いだけです。

## 頭のなかに辞書をつくればいい

では、辞書を持たないとなると、どうしたらいいのでしょうか。

答えは簡単。**「頭のなかに辞書をつくる」**。これが正解です。

まず英単語、英熟語、英文法の順番で完璧にします。

英単語・英熟語・英文法を完璧にしたあとに、英語の長文読解をすれば、辞書を引く機会はゼロになるのです。

では、英単語に関しては、どのくらいまで覚えたらいいのかというと、**「志望校の長文問題を読んだときに、1つの長文につき知らない単語が5個以内」**という状態が理想です。

「知らない英単語は1つもないぞ」というくらい英単語を暗記してしまったら、それはそれで英単語の勉強のしすぎです。その時間があったら、英熟語・英文法の時間に回したほうがいいです。

私の場合は、志望校が東京大学と慶應義塾大学でした。なので、「東京大学の長文を読んだときに、知らない単語が5個以内」「慶應義塾大学の長文を読んだときに、知らない単語が5個以内」という状態を高校2年生のときにつくっておいてから、長文読解に取り掛かりました。そのため、高校3年生のときには一度も辞書を引くことなく、全国模試で1位を獲得していました。

逆に考えれば**「一度も辞書を引かなくていい状態をつくってから、長文読解に取り掛かったので、全国1位を獲得できた」**と言えます。

「知らない単語が5個以内なんて無理だ」と思った方もいるかもしれません。ですが「瞬間記憶」ができても無理でしょうか。

英単語を使って「瞬間記憶」の練習をすることで、英単語の暗記と同時に「瞬間記憶」をマスターすればいいだけなのです。

Technique 19

# 頭のなかに辞書をつくってから長文読解に取り掛かる

## 長文を読みながら辞書を引き、英単語を勉強するのは時間の無駄

## まずは頭のなかに辞書をつくりそれから英熟語、英文法へ!

頭のなかの辞書
1. 英単語
2. 英熟語
3. 英文法

長文もスラスラ読める!

**1つの長文につき、知らない単語を5個以内にする!**

勉強法その20

やってはいけない！ Ordinary

# 配点が高いので、まずは長文のトレーニングをする

これで天才に！ Genius

# 偏差値65になるまでは、英語の長文は一切読まない

英語の入試問題のなかで、一番配点が高いのが長文読解です。

「一番配点が高いのだから、長文読解のトレーニングをしなければ」と言って、辞書を片手に長文ばかりを読んでいる人がいます。

ダメです。時間の無駄です。

なぜなら長文読解は、凡人にとっては、そもそも時間がかかるものだからです。

**とくに、英単語・英熟語・英文法の知識が不完全な状態で長文を読むと、内容がわからない状態で読むことになるので余計に時間がかかります。**

そのように非効率な時間を過ごすのであれば、いっそのこと、長文は一切読まないほうが、英語の成績は最短距離で上がります。

## 長文読解は偏差値65になるまでやらない

私は常々（つねづね）**「偏差値65になるまでは、英語の長文は一切読むな」**と言っています。

まず、志望校の入試問題において、知らない英単語が5個以内になるまで英単語を暗記しましょう。さらに英熟語・英文法も完璧にすれば、偏差値65までは成績が伸びます。

長文読解をせずに、偏差値65になって初めて英語の長文読解に取り掛かれば、辞書を引かずに長文読解することができるようになり、かなりのスピードで長文を読めるようになるのです。

## 長文に対する飢餓状態を意図的につくる

この勉強方法を実行すると、**「長文に飢（う）えている」**という状態で長文を読むことになります。すると、どんどん内容が入ってくるようになるのです。

野球でも、あえてボールを打つ練習をせずに素振りばかりをして、その後、試合に臨むことで「ボールを打つことに飢えている状態」になり、いい結果を残すことがあります。

英語も同じです。

**長文に飢えている状態をつくったあとで長文読解をすることで、最速で長文を読み進められるようになるのです。**

Technique 20

# 「長文に飢えている」状態で長文問題を勉強！

ひたすら

【英単語】【英熟語】【英文法】

だけを勉強

長文問題には
一切取り組まない！

偏差値65に

「長文に飢えている」
状態で長文に取り組む

勉強法その21

Ordinary やってはいけない！

# 長文を読みながら、同時に英単語・英熟語・英文法を学ぶ

Genius これで天才に！

# 英単語→英熟語→英文法→長文の順で勉強する

英単語を勉強するときは英単語だけ。英熟語を勉強するときは英熟語だけ。英文法を勉強するときは英文法だけ勉強します。

そうすることで、トップスピードで勉強ができるようになります。

## 順番に個別に進めていくのが最速の方法

また、**英語の成績を上げるために必要なのは「順番」です。**

まず英単語を暗記します。そうすれば、英熟語・英文法を暗記するときに、知らない英単語がない状態で始められるからです。

英単語の次は英熟語です。

英熟語が完璧な状態をつくってから、英文法を勉強します。

そうすれば、英文法の例文を見ているときに「これは英熟語だな」というところが事前にわかるようになるので、英文法だけに集中できます。

**英単語・英熟語・英文法の勉強だけをして、偏差値65を超えたら、長文読解のトレーニングに移る。**

これが、最速で英語の成績を上げる必勝法なのです。

**非効率な勉強というのは、未熟なうちから「同時に」勉強することです。**

長文を読みながら辞書を引いて、同時に知らない英単語を学ぼうとして、見たことがない英熟語をノートにとり、英文法について参考書で調べている人がいます。

一見、同時におこなったほうが効率的に思えますが、完全な間違いです。

最初から知らない英単語もなく、知らない英熟語もなく、知らない英文法もない状態で長文を読んだほうがスピードは上がります。

## 勉強のコツは一つひとつ分けること

では、その状態になるために、効率的に勉強するにはどうしたらいいのでしょうか。

大切なのは「分ける」ということです。

**勉強するときは、一つひとつ分けて勉強するほうが、スピードは上がります。**

# Technique 21 分けて学ぶのが効率的

英単語だけ勉強する

英熟語だけ勉強する

英文法だけ勉強する

長文読解のトレーニングへ！

勉強法その22

やってはいけない！ Ordinary

# 英単語帳を、最初のページから覚える

これで天才に！ Genius

# 名詞→動詞→形容詞→副詞の順番で覚える

英単語の勉強法について「英単語帳を使って、『瞬間記憶』のトレーニングをするのがベスト」と言うと、英単語帳に書いてある最初の単語から覚えようとする人がいます。

**たまたま英単語の最初に書いてあるからといって、その英単語から覚えることには意味がありません。**

ＡＢＣ順の英単語帳があって、最初に掲載されている英単語が「abandon（あきらめる）」と書かれている場合があります。

そうすると「英単語を勉強しよう！」と意気込んでいるのに、いきなり「あきらめる」という言葉を目に入れなければいけないわけです。

その英単語帳を開くたびに「あきらめる」と目に飛び込んできたら、だんだんと「英語の勉強そのものをあきらめたほうがいいのではないか」と、思ってしまいます。

このように最初のほうで「abandon（あきらめる）」という単語が出てくる可能性があるので、**ＡＢＣ順の英単語帳は避けたほうが賢明です。**

では、どういう基準で英単語帳を選べばいいのでしょうか。

**選ぶべき英単語帳は「名詞」から掲載されている英単語帳です。**

## 最初に覚えるべきは「名詞」

英単語で一番大切なのは、名詞です。

なぜなら名詞は「説明することが不可能」だからです。

「mother（母親）」という英単語は、ほかの言葉を使って説明できるでしょうか。仮に、「私を産んだ存在で、おばあちゃんの娘」などと言い換えていたら大変です。

**名詞は、「そのまま丸暗記するしかない」ものなのです。**

ごちゃごちゃ言わずに覚えたほうが早いのが、「名詞」なのです。さらに言えば、名詞がわかっているだけで言語というのはある程度成立します。

外国のファストフード店に行って、「ハンバーガー、コーク」と名詞を言えば、ハンバーガーとコーラを買うことができます。

名詞さえ覚えてしまえばなんとかなるわけですから、**英単語を勉強するときも「知らない名詞はない」というくらい名詞を覚えるの**

**が、最速で成績を上げる秘訣です。**

英語の場合、名詞の次に大切なのは「動詞」です。「何がどうした」の「どうした」の部分だからです。名詞を覚えたあとに動詞を覚えます。

形容詞は名詞を修飾するものなので、名詞・動詞の次に大切です。副詞は、動詞・形容詞を修飾するものなので、名詞・動詞・形容詞の次に覚えます。

つまり、**名詞→動詞→形容詞→副詞の順番で掲載されている英単語帳を使えば、最短で英単語をマスターすることができます。**

少なくとも名詞は名詞、動詞は動詞で分かれている英単語帳を選んで、使いましょう。

## 英語は順番を意識して勉強する

英単語→英熟語→英文法→長文読解という順番で勉強するのがいいと言いましたが、さらにこまかく分ければ、**名詞→動詞→形容詞→副詞→英熟語→英文法→長文読解**という順番だということです。

とにかく英語を勉強する場合は、重要なものから順番にひとつずつマスターしていくことが効率的です。

英語を勉強しようと思ったら、最初に取り掛かるのは「名詞を暗記する」ということを覚えておいてください。

Technique 22 英単語は「名詞」から覚える!

英単語
名詞
▼
動詞
▼
形容詞
▼
副詞
▼
英熟語
▼
英文法
▼
長文読解

この順番で
掲載されている
**英単語帳を**
**探してみよう!**

この順番こそが
**最速の**
**英語勉強法!!**

勉強法その23

やってはいけない！ Ordinary ✕

# 1冊の英単語帳を使う

これで天才に！ Genius ○

# 英単語帳を9冊使う

「英単語を覚えるなら、1冊の英単語帳を何度も繰り返すのが、一番いいはずだ」

そう思っている人がいます。**これは、やってはいけません。**

**なぜなら、その英単語帳に掲載されていない英単語が必ず存在するからです。**1冊の英単語帳しか勉強していなければ、いくら時間をかけても、そこに載っていない英単語を覚えることはできません。

**少なくとも、3冊は英単語帳を持っておきたいところです。理想は9冊です。**9冊あれば英単語の「抜け」はなくなります。

1冊の英単語帳を繰り返しやると、「この英単語の次は、この英単語だ」と、英単語を順番で覚えてしまうケースもあります。

英単語帳を9冊使うといっても、別の単語帳なら何でもいいわけではありません。前項でも説明したとおり、「あきらめる」という単語がいきなり出てくるものもあるからです。

英単語帳は品詞別にしっかり分かれているものにしましょう。

オススメの英単語帳としては、手前味噌になりますが、拙著『1分間英単語1600』（KADOKAWA）です。**これは私が3ヵ月かけて、「瞬間記憶」専用に開発したもの**なので、是非とも9冊のうちの1冊には加えていただけたらと思います。

個人的に、受験時代に一番優れた英単語帳だと思ったのは『大学入試英単語頻出案内』（上垣暁雄著　桐原書店）です。

世の中には「試験に出る、出ない」という基準でつくられた英単語帳が多いなか、本書はさらに一歩進んで**「試験に出る英単語のなかで、得点につながるかどうか」**という基準でつくられています。

この本は絶版で、入手は難しいかもしれません。

しかし、それだけ買う価値がある本なので、本当に英語を勉強したいと考えている方は、なんとか入手していただければと思います。

## 9冊の英単語帳を使って英単語をマスター

9冊中、この2冊を使うことで、英単語を最速で覚えられるようになるはずです。

本当に試験で点を取るために適した英単語帳を選び、それらを9冊ほど集めて**「知らない英単語はない」**という状態にしていくことで、英語の成績は最短距離で上がるのです。

Technique 23

# 9冊の英単語帳を使い、いろいろな角度から記憶する

## その英単語帳に載っていない英単語は必ず存在する

## 9冊の英単語帳を使えば英単語の「抜け」はなくなる!

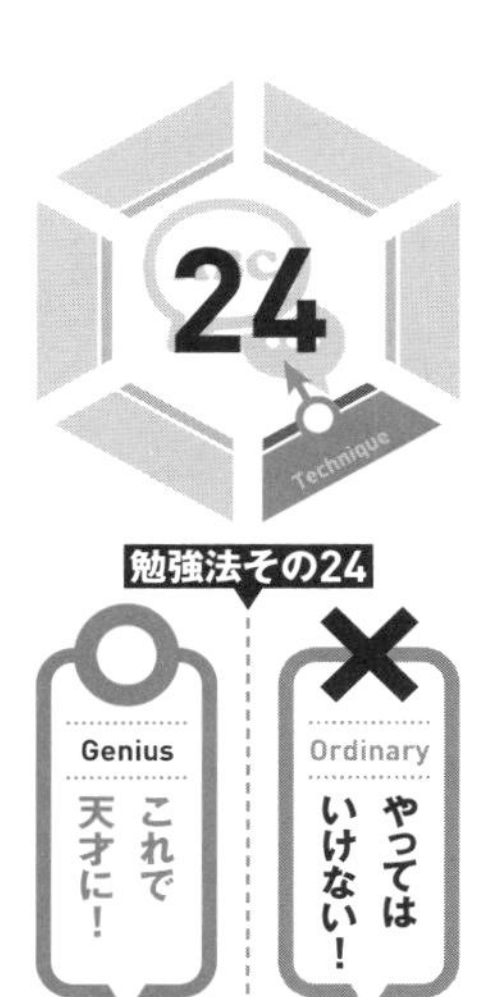


## 例文が書いてある英単語帳を使う

# 例文が書いていない英単語帳を使う

「例文があると覚えやすい。よし、例文がある英単語帳を使おう」

このように考え、英単語帳に書かれている例文を読みながら英単語を覚えようとする人もいます。これも間違いです。

**英単語帳は、英単語を覚えるためだけに使うべきであって、例文を読んでいたら時間の無駄になります。**

そもそも「瞬間記憶の訓練」として英単語帳を使うわけですから、例文があったとしても、一切読んではいけません。

もしも、いちいち例文を読んでしまったら、それだけで1つの単語につき、10秒くらい時間が経過してしまいます。

例文を読まなければ、1単語1秒で覚えていけます。つまり、例文がないだけで、単純計算で勉強の効率は10倍になるわけなのです。

## 一語一訳方式が最強

また、余計な例文さえ書いていなければ英単語帳として合格かというと、そうでもありません。「瞬間記憶」で英語を勉強しようとするなら、「例文がない」だけではまだ足りないのです。

**一番いい英単語帳は、1単語につき、1つの意味しか書いていないものです。** これを「一語一訳方式の英単語帳」と言います。一対一対応が、「瞬間記憶」にはもっとも適しています。

つまり、「government（政府、支配、統治）」と書いてある英単語帳はダメです。これだと1つの単語に対して、3つの意味が書かれています。これでは「瞬間記憶」に適しているとはいえません。

「瞬間記憶」で勉強するのであれば、「government（政府）」と書いてあるだけの英単語帳がベストということです。

1つの単語に対して1つの意味しか書かれていないからです。

では、もしも持っている英単語帳に2つ以上意味が書いてあったら、**ほかの意味を黒のマジックペンで塗り潰してから使うと、頭に入りやすくなります。**

この「英単語帳に2つ以上の意味があったら、1つだけにする」という作業が、時間がかかります。

そして、この作業に時間をかける意味はまったくありません。

**なので、そもそも1つの意味だけが書いてある英単語帳を使うというのが、もっとも効率的なのです。**

Technique 24

# 意味が1つしか書いていない英単語帳を使う

×

## 例文を読むのは時間の無駄！意味が2つ以上あるのもNG

**government**

＝政府、支配、統治

**例文:**

The federal government enacted the following legislation.
（連邦政府は次の法律を制定した。）

〇

## 「一語一訳方式の英単語帳」が「瞬間記憶」には最適

**government**

＝政府

超シンプルで時間がかからない！

勉強法その25

Ordinary やってはいけない！

# 市販の英単語帳だけを使う

Genius これで天才に！

# 自作の英単語帳をつくる

「選び方はあるにしても、英単語に関しては、市販の英単語帳を買えばＯＫだな」

多くの人はそう考えがちです。しかしこれは間違いです。実際には、それだけでなく、自作の英単語帳をつくる必要があります。

というのも、９冊の英単語帳を使って勉強していると、

「９割方覚えたが、１割だけ覚えていない英単語帳がある」

ということが起きるからです。「瞬間記憶」のトレーニングが進んでいくと、９割知っている英単語帳を使うよりも、覚えたい英単語だけが書いてある英単語帳を使いたくなります。

徐々に記憶している英単語が多くなるので、市販の英単語帳ではなく、**自作の英単語帳のほうが「瞬間記憶」をしやすくなるのです。**

## 自作の英単語帳は最低でも４冊は必要だ

ちなみに、自作の英単語帳は、１冊だけつくるのではありません。名詞用で１冊、動詞用で１冊、形容詞用で１冊、副詞用で１冊の、最低４冊は必要です。

当然ながら、自作の英単語帳でも一対一対応が原則です。どうしても２つの意味が必要な単語であれば、これも一対一対応にしていく必要があります。

たとえば「book（本、予約する）」という、２つとも大切な意味の英単語があります。

その際には、「book（本）」「book（予約する）」と、このように一対一対応にして、名詞用の単語帳と動詞用の単語帳に別々に書いたほうが、「瞬間記憶」をしやすくなります。

## 記憶の色分けをし、覚えたら付箋（ふせん）を移動させていく

英単語帳を自作する場合も、色分けした付箋を使うとより「瞬間記憶」が捗（はかど）ります。まず、

**赤の付箋：名詞【例】society：社会**
**緑の付箋：動詞【例】govern：統治する**
**黄の付箋：形容詞【例】beautiful：美しい**
**青の付箋：副詞【例】rarely：滅多（めった）に～ない**

として、書き込んだ付箋をそれぞれの自作の英単語帳に貼ります。

その際に英単語帳の表紙の色も、記憶の段階に応じて4色に色分けされたものを使うことが大切です。

**赤の表紙：0秒で言える英単語**

**緑の表紙：3秒考えて言える英単語。うろ覚えの英単語**

**黄の表紙：見たことはあるが、意味がわからない英単語**

**青の表紙：見たことも聞いたこともない英単語**

この4種類の英単語帳に、さきほどの色分けされた英単語と日本語の意味が書かれた付箋を貼っていきます。

勉強の順番としては、

**①緑の英単語帳に書かれている英単語の付箋を、赤の英単語帳に昇格させていく（赤は暗記済みなので、見るとしても入試の1ヵ月前）**

**②黄色の英単語帳に書かれている英単語の付箋を、緑の英単語帳に昇格させていく**

**③青の英単語帳に書かれている英単語の付箋を、黄色の英単語帳に昇格させていく**

この順番を意識し、「瞬間記憶」のトレーニングを兼ねながら英単語の暗記をしていきましょう。最終的には、すべての英単語の付箋が、赤の表紙の単語帳に昇格しているでしょう。

そのときには「志望校の試験で出題される長文のなかで、知らない単語が5個以内」の状態に、必ずなっているはずなのです。

Technique 25

## 自作の英単語帳は表紙と付箋を色分けして使う

### 自作の英単語帳

0秒で言える英単語

見たことはあるが、
意味がわからない英単語

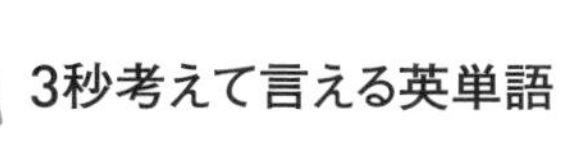

3秒考えて言える英単語

見たことも
聞いたこともない英単語

### 4色の付箋を貼って覚える！

**の付箋 → 名詞**
［例］society：社会

**の付箋 → 形容詞**
［例］beautiful：美しい

**の付箋 → 動詞**
［例］govern：統治する

**の付箋 → 副詞**
［例］rarely：滅多に〜ない

勉強法その26

Ordinary やってはいけない！

## 長文の全訳を書く

Genius これで天才に！

## 長文を1行1秒で読む

「この英語の文章の全訳を書いてきてください。宿題です」

これは、先生によるパワハラでしかないと私は思っています。

こういう宿題を生徒に課す先生は、

「自分の授業のなかだけでは、生徒を偏差値70にできません」

と吐露（とろ）している三流の教師の典型であるといえます。

英語の長文を全訳するというのは、無駄でしかありません。絶対にやってはいけない勉強方法です。

なぜなら、**書いている時間がとにかく無駄だからです。**

英語の勉強をしているわけであって、日本語の勉強をしているわけではありません。ですから、日本語で英語の訳を「書く」という行為には意味がありません。

知っているならば書けますし、知らないならば書けないのです。

英語の和訳を書くことがどれだけ時間が無駄になってしまうのか。ちょっと考えてみましょう。

たとえば「I go to school.」という英文があったとします。

**もしも、これを「私は学校に行きます」とノートに書いていたら、それだけで6秒が無駄になります。**


書かなければ次の文章をすぐ読めるのですから、10の文章があれば、単純計算で60秒もの時間の差ができる計算です。

英文の全訳とは、添削するときに学校の先生にとって読みやすいというだけです。生徒側にはまったくメリットはありません。

### 1行1秒のペースを当たり前にする

**英文の全訳を書くのではなく、1行1秒のペースで長文を読むのがオススメです。**

「そんなスピードではとても読めない」

そう思う人もいるかもしれませんが、本当にそうでしょうか。

すべての英単語、英熟語、英文法がゼロ秒でわかる。

そんな状態ならば、1行1秒のペースで読めるのが当たり前になります。むしろ、そうならないといけないのです。

もし1行1秒で読めないのであれば、それはまだ、英単語・英熟語・英文法のトレーニングが足りないというだけです。

長文を読むレベルに達していないというだけなのです。

Technique 26

# 英語の長文は全訳を書かず 1行1秒で読み進めるべし

## 英文の全訳を書くのは時間の無駄でしかない

I go to school.

私は学校に
行きます。

時間の
無駄！

和訳して日本語で書くのに
**6秒もかかる**

## 英単語、英熟語、英文法が0秒でわかっている証

1行1秒で
読み進める

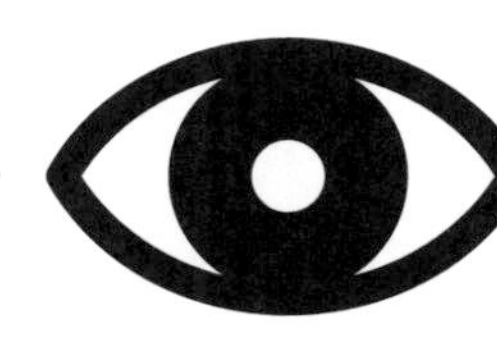

**1行1秒が難しいなら、まだまだ**
**英単語・英熟語・英文法のトレーニング不足**

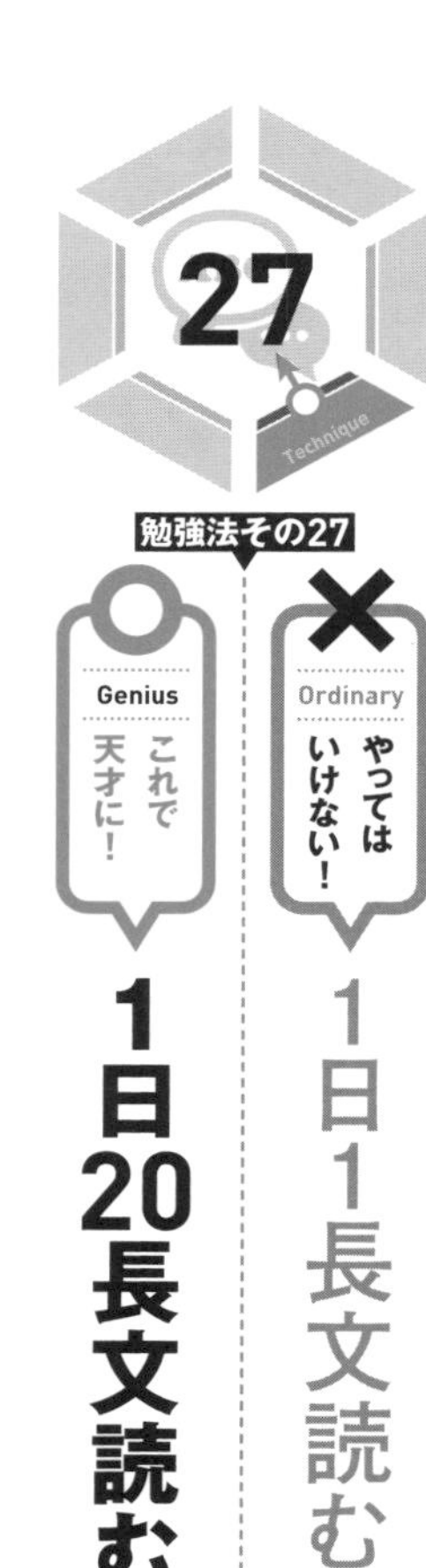


# 1日1長文読む

# 1日20長文読む

「1日1長文読むのを習慣にしましょうね。英語の長文に慣れることが大切です」

こんなことを言う先生に出会ったことがありました。

ぬるい、ぬるすぎます。**1日1長文しか読まないとなると、長文読解が得意になることは絶対にありません。**

よく考えてみてください。1日1長文ということは、1ヵ月勉強したとしても30の長文しか読んでいないことになるのです。

長文読解が得意になるためには、数をこなすことが大切です。

いろいろな英文に接することで、

「ああ、この熟語が出てきたぞ」

「英文法の問題でやったものがまた出ている」

などと、他の分野の復習を兼ねることができます。

では、どのくらいのペースで英語長文を読めばいいのでしょうか。

**1日20長文が理想のノルマです。**1日20長文のペースで読むと、

「覚えていた英単語が、また出てきたぞ」

「この文脈でこの英単語が使われるんだな」

ということもわかり、20の違う刺激を脳に与えることができるわけです。

## 1つの長文は5分で読み切るようにする

長文は単にたくさん読めばいいというわけでもありません。ダラダラ時間をかけて読んでも意味はないのです。

**時間としては「1長文5分」が理想です。**

誤解しないでほしいのですが、これはもちろん問題を解く時間も込みで5分です。

たとえば60行の長文であれば、1行1秒で、本文を読む時間は1分。問題を解いている時間は4分ということになります。

1長文5分で、20長文だと100分なので、1時間40分。**およそ1時間30分が、1日に英語の長文問題に費やす時間となります。**

私は1日20長文読んでいて、

「現存する問題集の発行スピードと、自分がこなす長文のスピードで、自分のほうが追い抜いてしまったらどうしよう」

と受験時代には心配したくらいです。

結局、英語の長文は無限にあったので、1日20長文でも、まだまだ読むべき長文は存在しました。なのであなたも、安心して1日20長文を読んでいただいて大丈夫です。

「1日20長文なんて、絶対に無理だ」と思うかもしれません。

確かに、凡人には不可能でしょう。ですが、**天才として勉強するのですから、1日20長文はごく当たり前なのです。**

## 英単語を使った「瞬間記憶」トレーニング

**天才として英語を勉強するためには順番があります。**

まず、英単語を1単語1秒で暗記をしながら「瞬間記憶」のトレーニングをします。そして、志望校の試験で知らない英単語が5個以内という状態をつくります。次に英熟語を暗記し、その次に英文法を完璧にします。

その状態になったら、1行1秒で、1日20長文を読み、同時に問題にも答えていきます。そうすると「知らない問題というのは、ほとんど出題されない」という状態ができあがります。

全国模試1位レベルというのは、「基本的に、知らない問題は出題されない」というのが当たり前です。英単語を使った「瞬間記憶」トレーニングが、天才になるための第一歩です。

**最初に英単語、さらに言えば「名詞」を1単語1秒で暗記することからスタートすれば、あなたは天才に生まれ変われるのです。**

Technique 27

### 1長文を5分でやれば1時間40分で20長文できる

**まずは天才に生まれ変わり圧倒的な量の問題をこなそう**

1分（1行1秒）で読む
↓
4分で問題を解く

60行の長文問題

5分 × 20長文 ＝ 100分（1時間40分）

この文脈でこの英単語が使われるんだな

覚えていた単語がまた出てきたぞ

28

Technique

勉強法その28

Ordinary
やってはいけない！

# 試験1週間前は、長文読解はおこなわない

Genius
これで天才に！

# 試験1週間前も、長文読解はおこなう

試験の1週間前になると、「まだ英文法が不完全だ」「知らない英単語がまだある」と不安になって、英語の長文を読まなくなる人がいます。

これが、やってはいけない勉強法です。

なぜなら、**「ある日突然、長文が読めなくなる」からです。**

私自身、英語の偏差値が70以上のときに、たまたま**2週間、英語長文を読まなかっただけで、突然、長文が読めなくなった経験があります。**

言語は、2週間離れると「この言語は必要ないのではないか」と脳が勘違いしてしまうことがあるのです。

入試直前になると、不安になって英語長文から離れたり、直前での勉強の優先順位が低くなり、英語長文をまったく読まなくなる人がいます。

ですが、それだけはやめましょう。

もちろん、試験直前でも1日20長文を読むことがベストですが、**1日1長文でもいいので、英文に目を通すことだけは、続けなければいけないのです。**

Technique 28 長文は突然読めなくなる

ABC

試験前だから
長文はしなくていいか

試験で長文が読めなくなる事態に！

勉強法その29

✕ Ordinary やってはいけない!
# 短い長文問題から解く

Genius これで天才に!
# 長い長文問題から解く

「長い長文問題ではなく、短い長文問題のほうが簡単そうだから、こちらから解こう」と言う人がいます。

ダメです。やってはいけません。**長文問題は、長い長文から解くのが鉄則です。**

①超長文問題
②普通の長文問題
③20行程度の短い長文問題

の順番で解きます。

なぜなら、超長文問題が、一番パニックになりやすいからです。**問題が長いということは、設問は簡単であるケースはとても多いです。** 時間がかかる分だけ、問題をやさしくしてあります。

逆に、**20行程度の短い長文問題は、難解な問題の場合が多いです。** 長文問題なのに短いわけですから、考えさせる問題になっている可能性が高いです。

「一見とっつきやすそうな長文ほど、難易度が高い長文である」というのが、長文問題の真理です。

長文問題は、一番長い長文から解く。これが、必勝法なのです。

Technique 29
## 長文問題は必ず長いものから解く

①超長文問題

後回しにすると パニックになりやすい

意外と設問は カンタンだったりする

②普通の長文問題

一見とっつきやすいものほど、設問は難しかったりする

③20行程度の短い長文問題

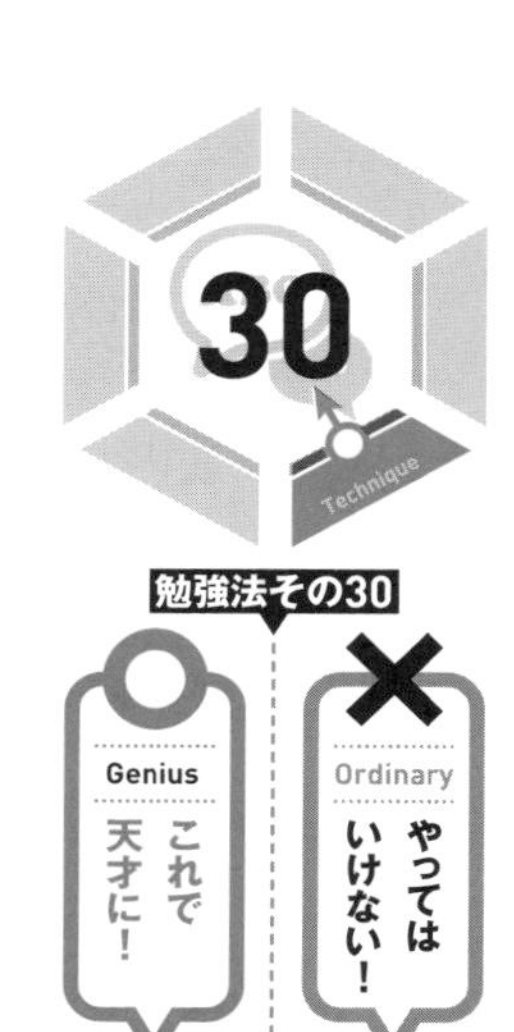


勉強法その30

Ordinary
やってはいけない！

# 英単語を、語呂合わせで覚える

Genius
これで天才に！

# 英単語は、単純反復で覚える

記憶には2種類あります。

**①単純記憶（単純反復記憶）**
**②イメージ記憶（意味記憶）**

この2つの記憶には、それぞれメリットとデメリットがあります。

## 単純記憶は0秒で大量に覚えられる

まず単純記憶のメリットは、

**（1）思い出すときに、0秒で思い出すことができる**
**（2）大量に覚えられる**

という2つです。

たとえば、「ｓｏｃｉｅｔｙ：社会」という英単語を何度も繰り返して覚えたら、何も考えなくても「ｓｏｃｉｅｔｙ：社会」と、0秒で脳内変換されます。なので、英単語は、単純反復記憶で覚えます。単純記憶のデメリットは、何度も繰り返して覚えなければいけないということです。

しかも1日では無理で、何十日も繰り返すことで暗記できます。

次にイメージ記憶についてです。こちらは「思い出すのに時間がかかる」というデメリットがあります。

## イメージ記憶で長期記憶に

**また、イメージ記憶は、大量に覚えることにも適していません。**

というのも、1つの事柄に関して、それぞれ個別のイメージを植えつけなければいけないので、記憶するまでに1分くらいはかかってしまうからです。そのため、英単語には適していません。

その代わり、イメージ記憶にはそれを補って余りあるメリットがあります。それは、長期間の記憶に適しているということです。

イメージとともに覚えられるので、1年経っても忘れません。

なので**歴史の年号など、数が少なく、意味のないことでも語呂合わせで覚える教科の場合は、このイメージ記憶を使います。**

単純記憶に比べて忘れにくいという、たった1つのメリットが、イメージ記憶の特徴なのです。

ですから**英単語の場合は、単純記憶を活用しましょう。**

# Technique 30 英語は単純記憶が向いている

## 単純記憶（単純反復記憶）

society = 社会！

society = 社会！

society = 社会！

society = 社会！

society = 社会！

society = 社会！

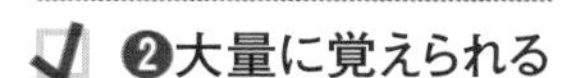

メリット

- ❶0秒で思い出せる
- ❷大量に覚えられる

デメリット

- 何度も繰り返して覚えなければならない

## イメージ記憶（意味記憶）

りんごをかじって血が出たイメージ

Apple = りんご！

Apple

メリット

- 1年経っても忘れない

デメリット

- ❶思い出すのに時間がかかる
- ❷大量に覚えるのに適していない

勉強法その31

× Ordinary やってはいけない！

# 「気合で暗記すればなんとかなる」と思っている

Genius これで天才に！

# 単純記憶とイメージ記憶で使い分けている

勉強をするときには、**「これは単純記憶で覚えるべきなのか？ イメージ記憶で覚えるべきなのか？」**と分類することが大切です。

たとえば英単語は、単純記憶で覚えます。数千個の英単語を覚え、かつ0秒で思い出さなければいけないからです。

たとえば、「cat」という単語を覚えるときに「キャッキャッキャッキャッと猫が叫ぶ」と語呂合わせで覚えたら、試験文章で「cat」という単語が出るたびに、脳で「キャッキャッキャッキャッと猫が叫ぶ」と想起することになってしまいます。

また日本史・世界史も、覚えることが大量にあるので（８４００問分の１問１答を覚えるイメージです）、単純記憶で覚える必要があります。

## イメージ記憶で覚えるべきもの

逆に、イメージ記憶で覚えなければいけないものが２つあります。

この２つです。

**①古文単語　②歴史の年号**

古文単語は覚えるべき数が少なく、出題されたときに違和感を覚えなければ得点につながらないので、語呂合わせは最適です。

**一対二対応（一対多対応）のときには、語呂合わせは大きな効果を発揮します。**

古文単語は一対多対応が多く、さらに出るたびに現代語に変換しなければいけないので、単純記憶ではなく、イメージ記憶（語呂合わせ）で覚えるのが効果的です。

また、日本史・世界史の年号にも限りがあり、覚えるとしても１０００個以内です。なので、イメージ記憶が適しています。

たとえば、鉄砲伝来は１５４３年の出来事なので、「鉄砲伝来、一発ゴツン、尻から３発」と覚えます。

イメージ記憶の場合は、主人公を自分にするとより覚えやすいので、自分が１発ゴツンとなぐられて、尻から３発、弾が発射されるイメージを持つと忘れません。

**古文単語と歴史の年号は、イメージ記憶（語呂合わせ）で、英単語（英熟語・英文法）、歴史の事項に関しては、単純記憶を使いましょう。**

## Technique 31 単純記憶、イメージ記憶に向いているものは？

**1対1対応のもの**

＝

**単純記憶に向いている**

言葉 → 意味

**英単語、日本史、地理など**

---

**1対多対応のもの**

＝

**イメージ記憶に向いている**

言葉 → 意味 / 意味 / 意味

**古文単語など**

# やってはいけない「英語勉強法」まとめ

**18** 勉強法その18
- ×学校の教科書を使って、英語を覚える
- ○**参考書・問題集を使って、英語を勉強する**

**19** 勉強法その19
- ×辞書を引く
- ○**頭のなかに辞書をつくる**

**20** 勉強法その20
- ×配点が高いので、まずは長文のトレーニングをする
- ○**偏差値65になるまでは、英語の長文は一切読まない**

**21** 勉強法その21
- ×長文を読みながら、同時に英単語・英熟語・英文法を学ぶ
- ○**英単語→英熟語→英文法→長文の順で勉強する**

**22** 勉強法その22
- ×英単語帳を、最初のページから覚える
- ○**名詞→動詞→形容詞→副詞の順番で覚える**

**23** 勉強法その23
- ×1冊の英単語帳を使う
- ○**英単語帳を9冊使う**

**24** 勉強法その24
- ×例文が書いてある英単語帳を使う
- ○**例文が書いていない英単語帳を使う**

**25** 勉強法その25
- ×市販の英単語帳だけを使う
- ○**自作の英単語帳をつくる**

**26** 勉強法その26
- ×長文の全訳を書く
- ○**長文を1行1秒で読む**

**27** 勉強法その27
- ×1日1長文読む
- ○**1日20長文読む**

**28** 勉強法その28
- ×試験1週間前は、長文読解はおこなわない
- ○**試験1週間前も、長文読解はおこなう**

**29** 勉強法その29
- ×短い長文問題から解く
- ○**長い長文問題から解く**

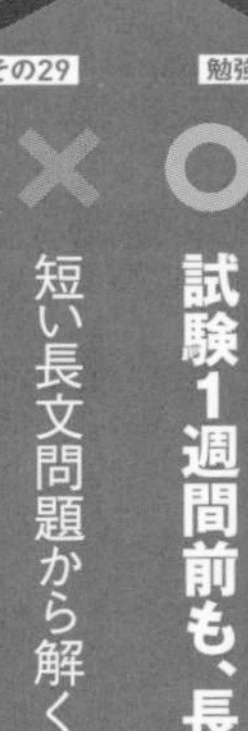

**30** 勉強法その30
- ×英単語を、語呂合わせで覚える
- ○**英単語は、単純反復で覚える**

**31** 勉強法その31
- ×「気合で暗記すればなんとかなる」と思っている
- ○**単純記憶とイメージ記憶で使い分けている**

Chapter 4

# やってはいけない「ノート術」

**勉強法その32** Technique 32

✕ ノートを書くときには、黒ペンを使う

○ **ノートを書くときには、青ペンを使う**

**勉強法その33** Technique 33

✕ 0.5ミリの芯を使う

○ **0.7ミリの芯を使う**

**勉強法その34** Technique 34

✕ ノートを使う

○ **ルーズリーフを使う**

**勉強法その35** Technique 35

✕ 5ミリ幅のルーズリーフを使う

○ **7ミリ幅×37行のルーズリーフを使う**

**勉強法その36** Technique 36

✕ ルーズリーフは、両面とも使う

○ **ルーズリーフは、片面だけ使う**

**勉強法その37** Technique 37

✕ 1行も空けずに、ごちゃごちゃと書く

○ **2行空けて、ゆったりと書く**

**勉強法その38** Technique 38

✕ ルーズリーフは、そのまま使う

○ **ルーズリーフは、3分割して使う**

勉強法その32

やってはいけない！ Ordinary

ノートを書くときには、黒ペンを使う

これで天才に！ Genius

# ノートを書くときには、青ペンを使う

ノートに書くときに、何も考えずに黒ペンを使う人がいます。もったいないです。青ペンを使いましょう。

「青で書くだけで、1・1倍記憶力が上がる」と考えてください。青は「寒色（かんしょく）」と呼ばれます。逆に赤は「暖色」です。**寒色は副交感神経に作用するため、冷静になって集中力が増します。**暖色は交神経に作用し、興奮状態になります。

武田信玄は自軍の鎧（よろい）の色を赤にして、相手に血の色を想起させ、冷静な判断をさせないようにして勝利を収めたと言われています。

青は集中できる色なので、青ペンを使うだけで、無意識のうちに集中状態に入ることができます。

私が使っているのは、パイロットのフリクションボール（青0・7ミリ）です。ペンの持つところも青色なので、ペンを見るだけでも集中状態がつくれます。

色の持つ力は絶大です。**かつて犯罪が多発する場所で、壁の色を青にしたところ、犯罪を起こそうとする人が青を見て冷静になるので、犯罪が激減した話があります。**

また、青い灯火にするだけで犯罪抑止効果があります。

逆に、赤は「赤提灯（あかちょうちん）」と言われるように、居酒屋・中華料理屋などで使われる色です。

赤のテーブル、赤の店内にすることによって、興奮状態になり判断力が低下します。

そうすると、ついついビールを頼んだり、必要のないものまで注文することが多くなるので、お店としては売上げアップにつながります。

反対に青いテーブルだと食欲がなくなり、冷静になるので、レストランの売上げは下がってしまいます。

## ペンを変えるだけで集中力は増やせる！

さまざまな場面で色の効果が利用されています。

せっかくですから、普段から勉強するときには青ペンを使う習慣をつけましょう。

**100円ほどでできて、集中力が1・1倍増す**わけですから、いまこの瞬間にでも、やらない手はないのです。

# Technique 32 無意識で集中状態に入れる青の力を活用しよう

## 何も考えず黒のペンを使うのはもったいない！

黒のペン

### スポーツでは「集中力を削ぐ」色

- 人は黒いものに目がいきがち
- 野球ではピッチャーが黒いグローブをつけると、バッターの視線がそちらに注目して打率が下がる
- バスケットボールで黒いユニフォームのチームがいると両チームとも集中力が削がれる

## 青で書くだけで集中力が1.1倍上がる

青のペン

### 寒色は「集中力を増す」色

- 副交感神経に作用して冷静になる
- 壁の色を青にしたり青い灯火にすると人が冷静になって犯罪が激減する
- 青のキャッチャーミットを使うと、ピッチャーが冷静になってコントロールがよくなる

勉強法その33

やってはいけない! Ordinary

# 0・5ミリの芯を使う

これで天才に! Genius

# 0・7ミリの芯を使う

ボールペンで、0・5ミリの芯を使っている人がいます。

これはとてももったいないです。

せっかくなので、**0・7ミリの芯を使いましょう。**

0・5ミリで書いていたものを0・7ミリに変えると、書かれている文字が1・4倍太くなります。そうすると、1・4倍記憶も太くなります。

文字が太くなると、パッと見たときに文字が格段に読みやすくなります。つまり、それだけ「瞬間記憶」をおこないやすくなり、効率的に勉強ができるということなのです。

## 芯の太さを変えるだけで記憶力アップ

もしかすると「そんなこまかいことを……」と思うかもしれません。

しかし、こういうこまかいことこそ大切です。とくにこの方法は、太いボールペンを買うだけで誰でも実行できることです。

つまり、生まれつきの能力に関係なく**0・5ミリを0・7ミリにするだけで、記憶する力が1・4倍も増強されるわけです。**

絶対にやるべきです。また、文字を書くときには太さと同様に「濃さ」も重要です。

かつては、小学校では鉛筆の硬さは、やわらかいBが基本になっていました。

しかし、いまはもっとやわらかい2Bが主流になってきています。Bの鉛筆と2Bの鉛筆だったら、2Bの鉛筆のほうが濃く書けます。

## 文字は濃く太いほうがいい

どうせ文字を書くのであれば、少しでも濃く、太いほうが、記憶が定着しやすいというわけです。

たまにHBやHの芯を使って文字を書いている人がいますが、勉強するときには、まったく意味がありません。

薄くて読みづらいだけです。

**濃さは2B、太さは0・7ミリ。**これに統一しておくことで、まず道具においてだけでも、天才になって勉強できます。

## Technique 33 道具を変えるだけで効率は変わる

道具を変えるだけでいいから、
どんな人でもすぐにできる

0.5mm【HBやHの芯】

芯も記憶も
太さ1.4倍！

0.7mm【Bか2Bの芯】

芯は太く、濃いものを！

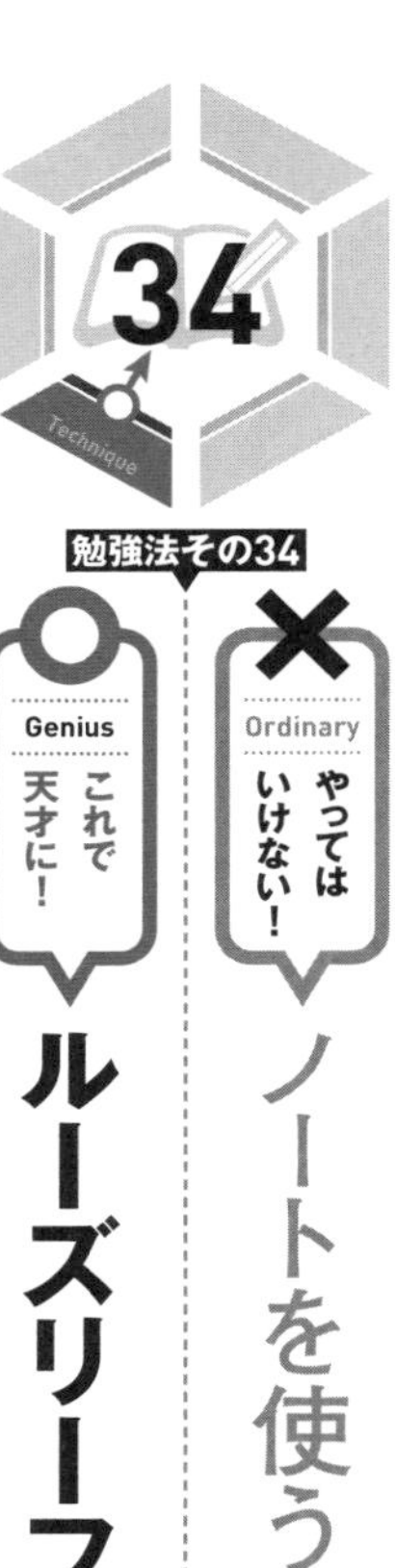


勉強法その34

Ordinary やってはいけない!

# ノートを使う

Genius これで天才に!

# ルーズリーフを使う

小学校のときは、勉強でノートを使うのが基本でした。

そのせいか、中学生になってからも勉強はノートでやろうとしている人がいます。

ですが、**ノートには致命的な弱点があります。それは、ページを1枚ずつ切り取れないというところです。**

もし「この部分はもう二度と見ないな」という箇所があっても、ノートではそのまま残ります。つまり、勉強したいところを探すのに、それだけ余計なページが存在するということになります。

## 効率化するにはノートよりルーズリーフ

しかしルーズリーフであれば、必要な部分だけを持ち歩くことができます。

たとえば、学校で江戸時代について授業があり、塾でも江戸時代の授業があった場合、ルーズリーフであれば、どちらの授業の内容も、一緒にしてまとめることができます。

ノートでは、学校のノートと塾のノートで別々になってしまいます。これではあとあと勉強するときに面倒です。

**最終的には、「瞬間記憶」で1枚のルーズリーフを0・5秒で見返していくことで、最速で暗記をしていくことができるようになります。**

その際に、ノートだと余計な部分が多すぎて「瞬間記憶」には適さなくなります。

このように、さまざまな制限のあるノートよりも、自由度の高いルーズリーフを使うべきなのです。

## 「瞬間記憶」のためにルーズリーフを工夫する

たびたび繰り返していることですが、**「すべては、『瞬間記憶』のために」**というのが正しい勉強法です。

「瞬間記憶」に適さないノートの取り方はやめて、「瞬間記憶」がしやすいようなノートの取り方にしていくことが、正しいのです。

**ノートをやめて、ルーズリーフにする。**

これが、ノート術の第一歩なのです。

# Technique 34 効率化のためにルーズリーフを!

1枚ずつ
切り離せない

ノート

「瞬間記憶」のために

ルーズリーフ

必要な部分だけ
持ち歩ける!

勉強法その35

Ordinary やってはいけない！

# 5ミリ幅のルーズリーフを使う

Genius これで天才に！

# 7ミリ幅×37行のルーズリーフを使う

前項で「ノートよりルーズリーフ」とお伝えしましたが、ルーズリーフなら何でもいいというわけではありません。

じつはルーズリーフのなかでも、「瞬間記憶」にあまり適していないルーズリーフもあれば、「瞬間記憶」に適しているタイプのルーズリーフがあります。

なかでももっとも適しているのは、**Ａ４のルーズリーフで、７ミリ幅で37行になっているものです**（私は、マルマンの『Ｌ１１００』という名称のルーズリーフを使っています）。

この幅、それでいて37行になっているおかげで、とても「瞬間記憶」がやりやすくなっています。５ミリ幅のルーズリーフだと、１行の幅が狭いです。ここに書き込むとなると、文字が小さくなりすぎてしまうので、「瞬間記憶」には適しません。

**ルーズリーフの1行の幅はある程度大きく、文字を書き込みやすいものでなければダメです。**それを考えていくと、７ミリ幅の37行がもっとも使いやすいのです。

このサイズのルーズリーフに、青のフリクションボール（０・７ミリ）で、覚えたいことを書き込んでいきます。

私は「瞬間記憶」のために、かなりの試行錯誤を繰り返しています。その試行錯誤の結果のひとつが「**7ミリ幅の37行×青のフリクションボール（0・7ミリ）**」の組み合わせというわけです。

## 覚えたいことは12個まで

では、「瞬間記憶」ができる最大の量はどのくらいでしょうか？

私の試行錯誤の末の結論としては「**1ページに最大12個、覚えることを書く**」というのが、「瞬間記憶」の限界です。

もう少しこまかく言うと、

「**1ページにつき、覚えたいことが4個までというのは処理が可能で、慣れてきても12個が限界**」

というのが、長年勉強法をいろいろ試してきた私の経験則です。

37行のルーズリーフを使えば、２行空白をあけて使ったとしても、1枚で12個のことが書けます。

７ミリ幅×37行のＡ４サイズのルーズリーフは「瞬間記憶」をおこなう際のマックスの情報量にぴったりなのです。

Technique 35

# これが「瞬間記憶」のための鉄板のルーズリーフだ

## ルーズリーフの選び方にも徹底的にこだわる

1行の高さは7ミリ

●●●●●●●●●●●●●●●●●●●●●●

記憶するものは1ページに12個まで!

1ページは37行

勉強法その36

やってはいけない！ Ordinary

# ルーズリーフは、両面とも使う

これで天才に！ Genius

# ルーズリーフは、片面だけ使う

前項で、「『瞬間記憶』のためには、7ミリ幅×37行のA4サイズのルーズリーフがいい」ということをお伝えしました。

じつはもう1つ、ルーズリーフの使い方で重要なことがあります。**それは、ルーズリーフは片面だけを使う**ということです（つねに自分から見て左側に穴が開いている状態）。

両面を使うのは絶対にダメです。なぜだかわかるでしょうか？

## テーマごとに新しいルーズリーフを使う

たとえば、日本史を勉強しているとします。

そのとき、片面に「豊臣秀吉」について、裏面に「徳川家康」について書いてしまったら、どうでしょう。

こんな書き方をしてしまったら、あとでまとめられなくなってしまいます。そもそもの話ですが、ノートではなくルーズリーフを使っているのは、「自由に取り外しができる」というメリットがあるからです。

にもかかわらず、**表と裏で別々のことを書いてしまったら、自由に取り外しができません。**これではルーズリーフを使っている意味がなくなってしまいます。

だからルーズリーフの両面を使うのはダメなのです。

片面ごとに書き、ルーズリーフは別々にします。

そうしておくと、あとで「豊臣秀吉のところだけまとめよう」「徳川家康のところだけまとめよう」などと思ったときに、ルーズリーフを入れ替えたりしてまとめられるようになります。

**最終的に「片面に、覚えたいことが12個以下書いてある状態」にしていくのが「瞬間記憶」をするための正しいノートの取り方です。**

そのためには、あとでまとめやすいようにルーズリーフの片面だけを使うようにするべきなのです。

「ルーズリーフ片面しか使わないなんてもったいない」と考える人がいるかもしれませんが、それでは試験には受かりません。

50枚入りのルーズリーフを、常に300枚分くらい手元に置いておけば、足りなくなることはないので安心です。

「瞬間記憶」という必殺技のために、こまかいところからノートの取り方も変えていかなければいけないのです。

# Technique 36 片面だけ使うことで整理しやすくなる

## 表と裏に別のことを書くとあとでまとめられなくなる

豊臣秀吉について

【表】

【裏】

徳川家康について

50枚入りのものをつねに300枚分くらい用意しておこう

## 項目ごとに分けておけばあとでまとめやすくなる!

豊臣秀吉について

【表】

【裏】

空白

勉強法その37

Ordinary やってはいけない！

✕ 1行も空けずに、ごちゃごちゃと書く

Genius これで天才に！

# 2行空けて、ゆったりと書く

「ルーズリーフがもったいない」といって、1行も空白をとらずに、ごちゃごちゃとノートを取っている人がいます。

ですがそれだと情報量が多すぎて、あとでルーズリーフを1枚0・5秒で見返したときに、書いてあることが頭に入ってきません。

**ゆったりと余白を多めにノートを取るというのは、「瞬間記憶」をしやすくするためには当然です。**

ではどうしたら、ゆったりとしたノートになるのでしょうか。それは簡単で、**「2行空けて書く」**ということを心がけることです。

「それではスカスカになってしまって、ルーズリーフがどんどん減ってしまう」

そう思う方もいるでしょう。しかし、それでいいのです。

## 必要な分だけルーズリーフを切り貼りする

では、なぜわざわざ2行を空ける必要があるのでしょうか。

それは、ハサミで切り取るときに、1行しか空いていない状態よりも、切りやすいからです。

**いずれルーズリーフは切り貼りをすることになります。**完璧に覚えているところはもう必要ないので、切り取って、覚えたいところだけを「瞬間記憶」したくなるからです。

切り取ることまで考えると、2行空けて書くのが正解です。

また、**1つの文章が長くなって2行にまたがるときは、1行だけ空けて書いておきましょう。**こうしておけば、つながった文章だとわかりやすくなります。

ただし、同じ内容について書いたものでも、文章が別々になる場合は、必ず2行空けて書きます。

具体例として、左ページに再現してみました。このくらいゆったり書けば、あとから見返しやすいノートになります。

**●2行にまたがる文章は1行空ける。**
**●文と文の間は2行空ける。**

このルールを徹底してください。こうしておけば、いずれルーズリーフ1枚を0・5秒で復習できます。

そのために、あえてこのようなスカスカのノートをたくさんつくっておくというのが、正しいノートの取り方なのです。

## Technique 37 あとあと1枚0.5秒で見るため ルーズリーフはゆったり使う

### ×「瞬間記憶」もやりにくいし あとあとまとめづらい

ギュウギュウで すぐに頭に **入ってこない！**

太閤検地とは、豊臣秀吉がおこなった検地であり
太閤とは、関白の職を子に譲った人の呼び名である。
秀吉は太閤検地を基礎とした兵農分離によって
武士、農民、町民の身分を決め、
全国民を支配するための
制度を創設した。

### ○あとあと切り貼りしやすいように スカスカのノートにしておく

豊臣秀吉がおこなったのは、太閤検地である。

秀吉は太閤検地を基礎とした兵農分離によって

武士、農民、町人の身分を決め、

全国民を支配するための制度を創設した。

違う文章に なる場合は **2行空ける**

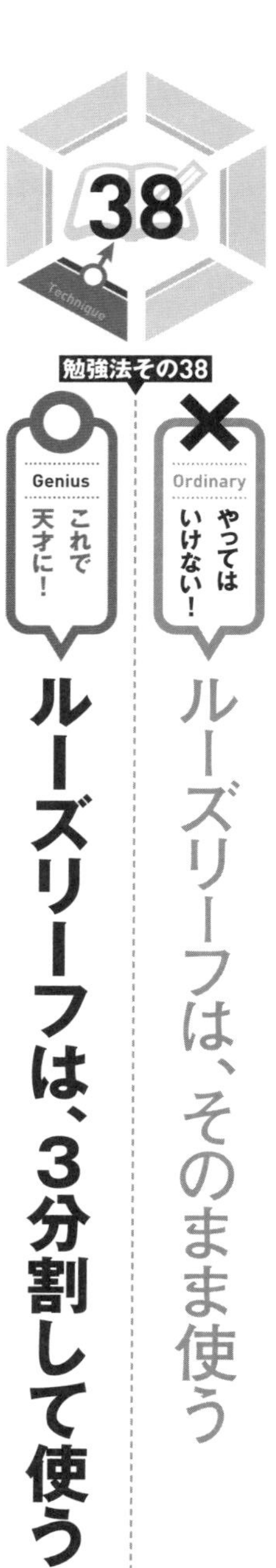


## ✕ ルーズリーフは、そのまま使う

# ルーズリーフは、3分割して使う

ルーズリーフは片面のみを使うとお話ししました。さらにわかりやすくするため、1枚のルーズリーフを3分割して使うのです。

具体的には、**左から3・5センチ、右から3・5センチのところに、縦に線を引くのです。**こうすることで、左・真ん中・右と1ページを3分割することができます。

## あとでまとめやすいノートにする

まず、**左の部分はチャプター（題目）を書き込みます。**「江戸時代」だったり「豊臣秀吉」と書いたりします。〝ここでは何について書かれているのか?〟をざっくり書くのが左の部分です。

あとあと見直すときには、この左のチャプター部分を見れば、大まかな内容がわかるようになります。

次に、真ん中の部分は、普通のノートとして使います（もちろん、書くときには「2行空けて書く」ということを守ります）。

こうすることで、あとで切り貼りがしやすくなります。

江戸時代は江戸時代でまとめやすくなりますし、豊臣秀吉は豊臣秀吉でまとめやすくなります。

そして最後、**右の部分には、〝行動すること〟を書きます。**

たとえば「江戸時代に関する問題集を2冊買う」「教科書の江戸時代のところを見直す」などです。その部分に関して、自分が関連して行動することを書いていくのです。右側の「行動すること」の部分は、行動したらその都度、二重線で消していきます。**勉強における「ToDoリスト」のようなものだと考えてOKです。**

なぜ右側のこの項目が必要かというと、ノートを取っていると「これをしたほうがいいな」ということを思いついたりするものだからです。

もし、思いつきを真ん中の部分に書いてしまうと、あとでまとめるときに、その部分だけ消さなければいけなくなるのです。

ですから、**最初からルーズリーフを3分割して使う習慣をつけましょう。**そうすれば、あとでノートを切り貼りしてまとめたり、記憶し終えたところを取り除くときに、作業がしやすくなります。

ノートはあとで見返すときのことを考えてつくりましょう。それでこそ「瞬間記憶」に最適なノートができあがるのです。

Technique 38

# あとで切り貼りしやすいよう ルーズリーフは3分割する

## 「瞬間記憶」に最適な あとでまとめやすいノートにする

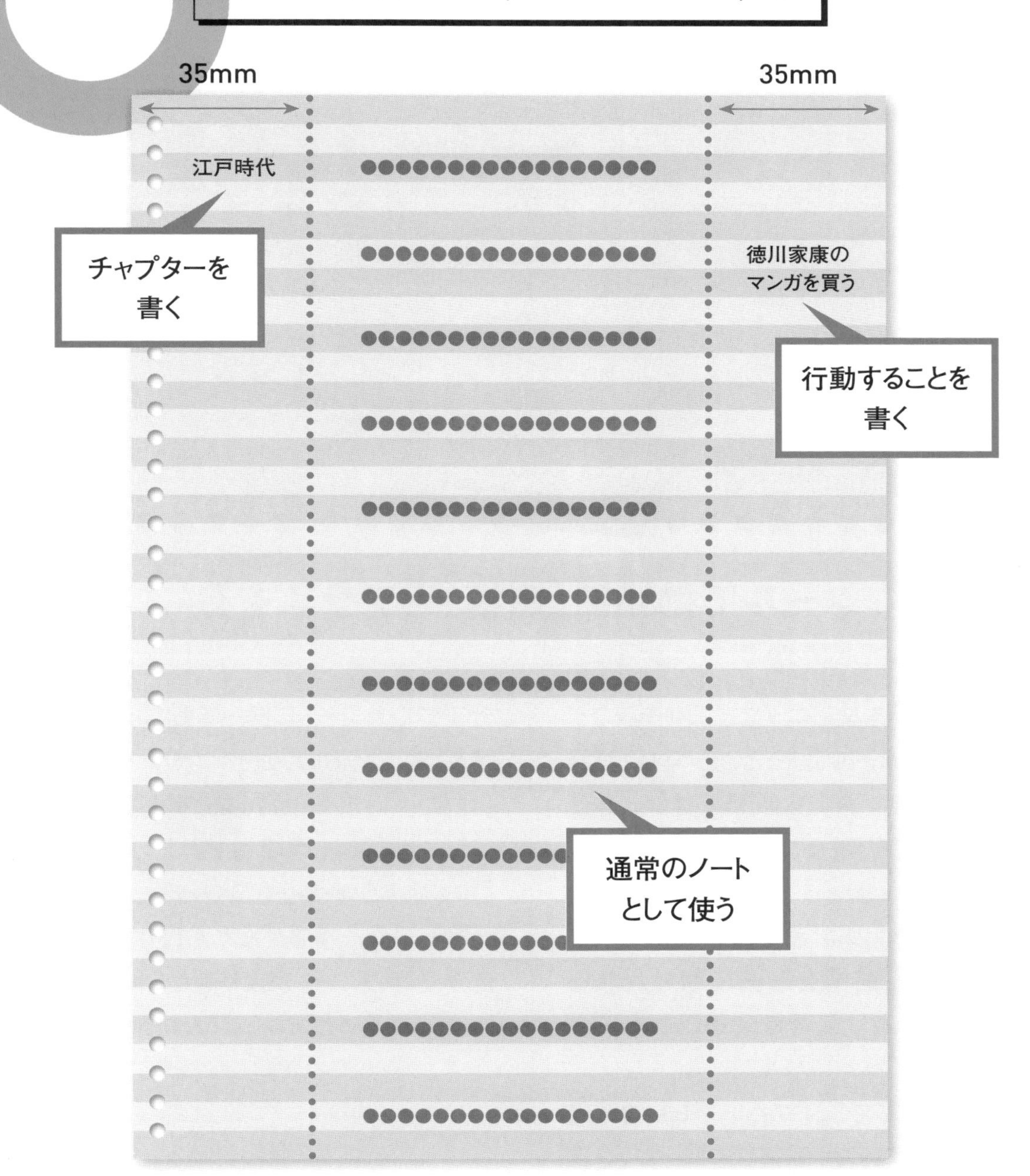

# やってはいけない「ノート術」まとめ

**32** 勉強法その32
× ノートを書くときには、黒ペンを使う
○ **ノートを書くときには、青ペンを使う**

**33** 勉強法その33
× 0.5ミリの芯を使う
○ **0.7ミリの芯を使う**

**34** 勉強法その34
× ノートを使う
○ **ルーズリーフを使う**

**35** 勉強法その35
× 5ミリ幅のルーズリーフを使う
○ **7ミリ幅×37行のルーズリーフを使う**

**36** 勉強法その36
× ルーズリーフは、両面とも使う
○ **ルーズリーフは、片面だけ使う**

**37** 勉強法その37
× 1行も空けずに、ごちゃごちゃと書く
○ **2行空けて、ゆったりと書く**

**38** 勉強法その38
× ルーズリーフは、そのまま使う
○ **ルーズリーフは、3分割して使う**

column

## シールで勉強に「感情」をプラスする

自分の好きなアニメなどのキャラクターシールをノートに貼ると、その教科が好きになります。嫌いな教科にはシールを使って感情をコントロールするのがオススメです。

勉強というのは、論理的な作業です。そんななか、**感情を勉強に取り入れると、記憶をより定着させることができます。**

また、「まじで?」「かわいそう」「なるほど」などと書いた、感情記憶シールを自分でつくり、ノートに貼っておくだけで、感情とともに記憶のフックになります。さらに「重要」「何度も復習」などの「暗記お助けシール」や、「天才!」「すごい」などの「**ホメホメシール**」もつくりましょう。

楽しいシールをどんどん自作すれば、自分だけのノートがより楽しいものになり、勉強をもっと楽しくしてくれるのです。

Chapter 5

Technique 39~53

# やってはいけない「読書法」

勉強法その39 Technique 39

× 何も考えずに、目の前の本を読む

○ **情報処理のスピードを上げる訓練をしてから、本を読む**

勉強法その40 Technique 40

× 最初に勉強時間を増やそうとする

○ **1時間あたりの「回転数」を上げようとする**

勉強法その41 Technique 41

× 1冊2時間かけて本を読む

○ **1冊1分で本を読む**

勉強法その42 Technique 42

× 1ページ1秒でめくっていくのがすごいと思っている

○ **見開き2ページを0.5秒でめくっていくのが当たり前だ**

勉強法その43 Technique 43

× 脳内音読をする

○ **ページをめくる作業に集中する**

勉強法その44 Technique 44

× 眼球運動をする

○ **周辺視野を使う**

勉強法その45 Technique 45

× 本を速く読むには速読術しかないと思っている

○ **脳のなかの時間の流れを遅くすれば1冊1分で読める**

勉強法その46 Technique 46

× 勉強を好きになったほうが、成績が上がる

○ **ページをめくるときにイライラするだけで成績が上がる**

勉強法その47 Technique 47

× 精読をすることが素晴らしいと思っている

○ **精読かつ、多読がいいに決まっていると思っている**

勉強法その48 Technique 48

× 内容を忘れないように、本を読まなければいけない

○ **内容を忘れようとして、本を読まなければいけない**

勉強法その49 Technique 49

× しおりを挟む

○ **大切なページの角を折る**

勉強法その50 Technique 50

× 読んだ本のレビューを書く

○ **読んだら、次の本を読む**

勉強法その51 Technique 51

× 1冊1分は、いきなりなれるものだと思っている

○ **1冊1分になるには、3段階のトレーニングが必要だと知っている**

勉強法その52 Technique 52

× ワンミニッツ・リーディングができれば速読ができると思っている

○ **速読とワンミニッツ・リーディングは水と油だと知っている**

勉強法その53 Technique 53

× それでも、どうしても理解したい

○ **理解するためではなく、天才になるために読む**

勉強法その39

やってはいけない！ Ordinary

# 何も考えずに、目の前の本を読む

これで天才に！ Genius

# 情報処理スピードを上げる訓練をしてから、本を読む

そんななか、**1冊の参考書を1分で処理することができたら、10倍どころか、60倍の情報処理スピードを手に入れることができます。**

第3章では、英単語や英熟語、英文法などをマスターしてから長文に取り組んだほうがいいとお伝えしました。

読書の場合も、これと似ています。目の前に参考書があるからといって、いきなりこれを読み始めるのは、いきなり英語の長文問題を解き始めるようなもので、無駄な時間がかかってしまうだけです。

## 本を読むのは情報処理スピードを上げてから

読書を効率的におこなうためには、次のツーステップが必要です。

**●情報処理スピードを上げるトレーニングをする**
**●本を読む**

多くの人は、最初のステップを無視して、いきなり本を読み始めてしまうからうまくいかないのです。

まずは、情報処理スピードを上げることをおこない、次に本を読みましょう。このツーステップが、もっとも効率的なのです。

「目の前に本がある」

ただそれだけの理由で、多くの人はいきなり本を読んでいます。

それではダメです。典型的なやってはいけない読書方法です。

**情報処理スピードを上げるトレーニングをしてから、本を読みましょう。**

情報処理スピードを上げる訓練をせずに文章を読んでいたら、情報処理スピードが遅いまま、時間が経過していきます。それでは時間がもったいないです。よく電車のなかで、同じページを5分くらいかけて読んでいる人がいます。

しばらく見ていてもなかなかページをめくっていかないので「寝ているのかな」と思ったら、一生懸命読んでいるようなのです。

現代は情報化社会です。そんな情報化社会において、情報処理スピードが遅いというのは致命的です。

**勉強でも、勝つためにはスピードを味方につけることが非常に大切なのです。**

とはいえ、8時間で参考書1冊を読み終わらない人は多いです。

参考書を最初から最後まで、1日で読み切ろうとすらしません。

# Technique 39 すばやく本を読むには事前の準備が必要だ

×

## 何も考えずただ本を読む

ボヤー

8時間かけても
参考書が1冊
読み終わらない!

○

## 情報処理スピードを上げてから本を読む

**情報処理スピード**を
上げるトレーニングをする

»

**10〜60倍**の圧倒的な
情報処理スピードで本を読む

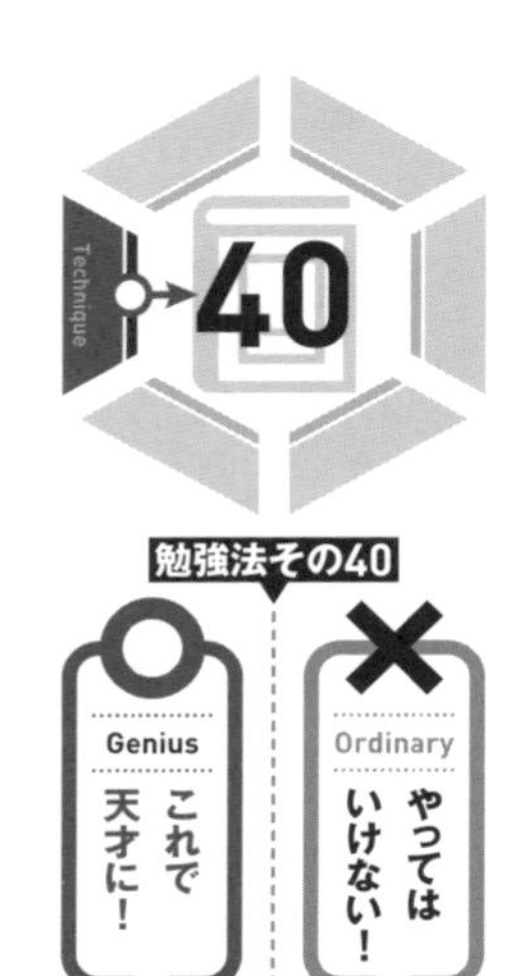


勉強法その40

やってはいけない！ Ordinary

最初に勉強時間を増やそうとする

これで天才に！ Genius

# 1時間あたりの「回転数」を上げようとする

「どうしよう、時間がない！ このままでは志望校合格は難しい。そうだ、勉強時間を増やせばいいんだ」

こう考える方は多いでしょう。

勉強時間はもちろん多いに越したことはないのですが、**それよりも重要なのが「回転数」**という考え方です。

数学において、1時間で1問しか解けない人がいます。1時間で6問解けたら、回転数は6倍。10問解くことができたら、回転数は10倍ということになります。

つまり1時間で1問しか解けない人と、1時間で10問解ける人がいたら、同じ1時間でも10倍の密度の違いがあるということです。

**単純に勉強時間を増やせばなんとかなると考えるのではなく、回転数を上げていくことが、成績を上げる秘訣なのです。**

勉強ができるようになるには、

**①回転数を上げる　②勉強時間を増やす**

という順番が大切です。

回転数を上げてから勉強時間を増やすのです。

私の場合は、高校2年生で「瞬間記憶」をマスターして回転数を上げ、高校3年生には、1日20長文をこなせるようになりました。

高校2年生のときは回転数を上げる作業をメインにして、高校3年生になって勉強時間を1日4時間から8時間に増やしました。おかげで、全国模試1位になれたのです。

## 「回転数」を上げてからラストスパートへ

「勉強はラストスパートが大切だ。本番3ヵ月前から、がんばればいい」と言っている方がいます。

たしかに、進学校の生徒が部活を引退してから、受験勉強を始めて東大に合格するケースがあります。

しかし、回転数が上がっている状態のラストスパートには意味がありますが、**回転数が少ない状態のラストスパートは、止まっている状態とあまり変わらない**ので、ラストスパートにはなっていないことに気づく必要があります。

回転数を上げていくだけで、同じ1時間のなかでも、まったく別の時間の流れを体感することができるのです。

Technique 40

# 「回転数」を上げれば違う時間の流れを体験できる

## 勉強時間を増やしても効率が悪い

とにかく勉強時間を増やそう

1時間で1問しか解けない

4時間勉強しても4問しか解けない

## 勉強時間を増やす前に「回転数」を増やす

1時間で10問解ける!

まずは問題を解く「回転数」を上げる

回転数を上げておけば短時間でも成果は桁違い

勉強法その41

✕ Ordinary やってはいけない！

# 1冊2時間かけて本を読む

〇 Genius これで天才に！

# 1冊1分で本を読む

本を1冊2時間かけて、じっくりと読んでいる人がいます。

これでは遅すぎます。

「私は速読の訓練を受けたことがあるんだぞ。1冊10分で読めるんだ」

このように自慢をする人にも会ったことがあります。

ただ、1冊10分の読書スピードのことを、私は遅すぎて「ハエが止まるスピード」と呼んでいます。

**1冊の本を1分で読む（200ページの本の場合）。**

**これが、天才の読書スピードです。**

1冊1分と1冊2時間では、120倍のスピードの違いがあります。

## 1冊1分で読む技術は1000人以上がマスター

「1冊1分なんて、自分にはとても無理だ。できるわけがない」

私の話を読んでこう思った方もいるかもしれません。では、お聞きします。

**「あなたは、1冊1分で読むためのトレーニングを、6ヵ月したことがありますか？」**

こう聞かれたら、ほとんどの方が「ない」と答えます。

やってみて挫折（ざせつ）したわけではなく、やったこともないという方ばかりなのです。

私は「1冊1分で本を読む方法」を2007年から伝授しています。**これまでの受講者は1000人以上ですが、いまのところ挫折者はゼロです。**

## トレーニングで誰でも1冊1分は可能

誰でもできる方法があるにもかかわらず「どうせ無理だろう」「1冊1分なんて、できるはずがない」と、最初からあきらめている方がほとんどです。

「瞬間記憶」も、3ヵ月はトレーニングが必要です。

**1冊1分も、6ヵ月はトレーニングが必要であるという、ただそれだけなのです。**

# Technique 41 本は「1冊1分で読む」のが当然

1冊の本を2時間かけて読む!

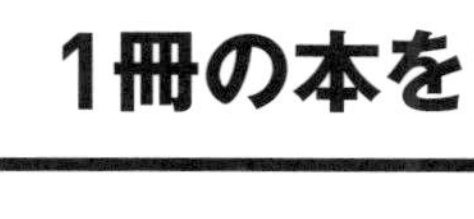

1冊の本を1分で読む!

**6カ月のトレーニングでだれでもできる**

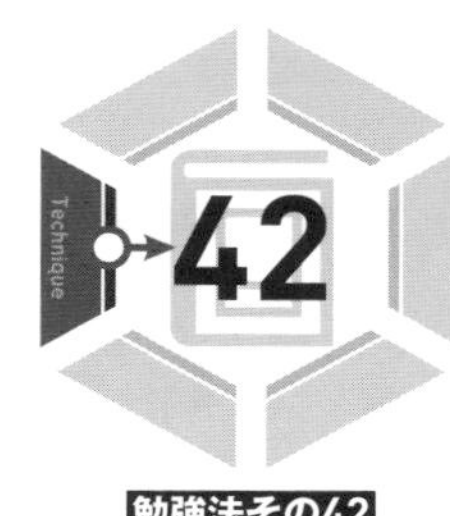


勉強法その42

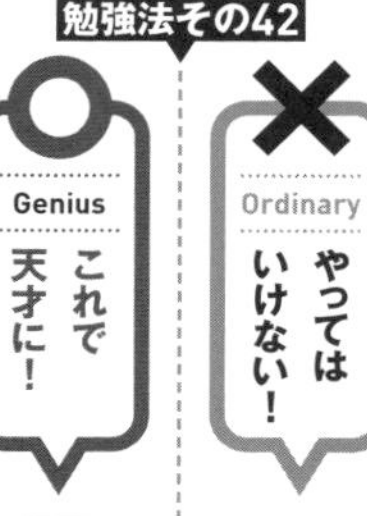


# 1ページ1秒でめくっていくのがすごいと思っている

# 見開き2ページを0・5秒でめくっていくのが当たり前だ

「1冊1分ということは、1ページ1秒なんですね」と言う人がいます。

２００ページの本だとして、1ページ1秒だと２００秒なので、3分20秒かかってしまいます。これでは遅いです。

「では、見開き2ページを1秒で処理していくんですね」と言う人もいます。ですが、見開き2ページで1秒だと、１００秒なので、それでも1分40秒も時間がかかってしまいます。

## 究極の読書テクニック「ワンミニッツ・リーディング」

では、1冊1分で読むためには、どれほどのスピードが必要なのでしょうか。

答えは、**見開き2ページを0・5秒でめくる、というスピードです。**これだと50秒なので、1分以内に1冊を読み終えることができる計算になります。

このように見開き0・5秒のスピードで、1冊1分で本を読む技術のことを私は**「ワンミニッツ・リーディング」**と名付けて実践しています。

## 見開き1秒では遅すぎる

「ワンミニッツ・リーディングは、見開き1秒なんですよね？」

「いえ、違います。見開き0・5秒です」

「見開き1秒も0・5秒も、たいして変わらないじゃないですか！」

こういうやりとりを、ワンミニッツ・リーディングができない方とすることが多いです。

しかし、**見開き1秒と0・5秒では、天と地ほどの開きがあります。**これは言ってみれば、50歳で寿命が尽きるか１００歳まで生きるのかというのと、同じくらいの違いです。

たしかに1冊だと、さほど差がつかないかもしれませんが、**１０００冊本を読んだら、およそ１０００分（約17時間）の違いになります。**

見開き0・5秒でページをめくるのが、ワンミニッツ・リーディングなのです。

# 1ページ1秒ではなく、見開き2ページ0.5秒だ

**見開き2ページを0.5秒でめくる**

## 1000冊読めば 1000分（約17時間）の差に

例）200ページの本なら、

**1冊 ＝ 0.5秒 × 100見開き ＝ 50秒**

**これがワンミニッツ・リーディング**

勉強法その43

Ordinary やってはいけない!

# 脳内音読をする

Genius これで天才に!

# ページをめくる作業に集中する

本を読むのが遅い方には特徴があります。

それは「脳内音読」をしてしまっているということです。

つまり、脳のなかで音読をしながら本を読んでしまっているのです。それでは、必然的に読書スピードは遅くなってしまいます。

脳内音読という悪い習慣をなくすには、いい方法があります。

そもそも見開き2ページを0・5秒でめくっていたら、脳内音読をしている余裕などなくなります。つまり、ついつい脳内音読をしてしまう人は、余裕があるから、脳内音読をしてしまうのです。

**「ページをめくる」という作業だけに集中すればいいのです。**

すなわち、本を読むときにページをめくるスピードが遅い人は、**脳の情報処理スピードは、ページをめくる速度に比例します。**

脳の回転数も遅いということです。そして、ページをめくるスピードを速くすれば、それにともなって脳の回転速度が速くなります。

**見開き2ページを0・5秒でめくる習慣がつけば、脳の回転数もそれに対応できるように追いついてきます。**

じつは脳は、慣れれば簡単に見開き0・5秒で情報を処理することができます。そうなれば、必要なことがわかってきます。その処理スピードにあった「ページをめくる速さ」が必要になるのです。

## ページを速くめくれれば情報処理スピードが上がる

私はワンミニッツ・リーディングを人に教えるとき、

**「6ヵ月間、見開き0・5秒以外のスピードでページをめくってはならない」**という宿題を生徒に課します。そうすると、どんな人でも情報処理スピードが速いのが当たり前になります。

では何が難しいのか。それは「ページをめくる作業」です。

その意味で考えると、ワンミニッツ・リーディングというのは、読書術というよりも**「ページめくり術」**です。

見開き2ページを0・5秒でめくれるようになると、自動的に脳の情報処理スピードが追いついてくるというイメージです。

「脳の回転数が高い人が、情報処理スピードが速い人」なのではありません。

**「ページを速くめくれる人が、情報処理スピードが速い人」**というのが正しいのです。

Technique 43

# ワンミニッツ・リーディングはページめくり術だ

×

## 難しいのは本を速く読むことだ

○

## 難しいのはページを速くめくることだ

ワンミニッツ・リーディングのやり方

**見開き2ページを0.5秒でめくる習慣がつく**

**脳の回転数がそれに追いつく**

勉強法その44

やってはいけない！ Ordinary

# 眼球運動をする

これで天才に！ Genius

# 周辺視野を使う

「速読をしています」と言って、講師の方が激しく眼球運動をしている動画を見たことがある方もいるでしょう。

こうしたやり方をする人が世の中にいるため、私が教えている「瞬間記憶」でも、目を速く動かす方法なのだと思うかもしれません。

それは間違いです。**ワンミニッツ・リーディングでは眼球運動はしません。**眼球運動をしたら、目を動かして一言一句文字を追っている時間がもったいないですし、目も疲れてしまいます。

## 目を動かさずに速読できる

ちょっと想像してみてください。

「4時間の勉強時間で、4時間眼球運動をし続けろ」

こう言われたら、目が疲れて勉強にならないはずです。疲れて効率が落ちてしまっては、それこそ本末転倒です。

**文章を読むときに眼球運動をするのではなく、周辺視野を使う。**

これがワンミニッツ・リーディングのときの視野に対する考え方です。この周辺視野というものについて、もう少し詳しく説明していきましょう。

**周辺視野というのは、1つのものを見ていたら、ほかのものも目に入ってしまうというものです。**

たとえば、左の図で「人差し指だけ見てください」と言われても、どんな人でも絶対に人差し指だけしか見えないということはありえません。うまく認識できていなくても、指の周辺など全体が目に入ってしまうはずなのです。それが周辺視野です。

わざわざ目を動かさなくても、結果的に全体が見えています。ワンミニッツ・リーディングでは、これを利用します。

見開き2ページを0・5秒で、右手で本を持って、左手でページをめくるのがワンミニッツ・リーディングです。

左手でものすごいスピードでページをめくるので、手を見ようと思ったら、周辺視野で見開き2ページが丸々見えてしまう。

そうすると結果的に、「瞬間記憶」として内容が頭に入ってくる。

それこそが、ワンミニッツ・リーディングのやり方です。

**目を高速で動かすのではなく、全体像としてとらえ、ページをめくる手を速く動かすのです。**

# ワンミニッツ・リーディングは周辺視野の使い方がカギ

眼球運動をしていたら
目が疲れて勉強にならない

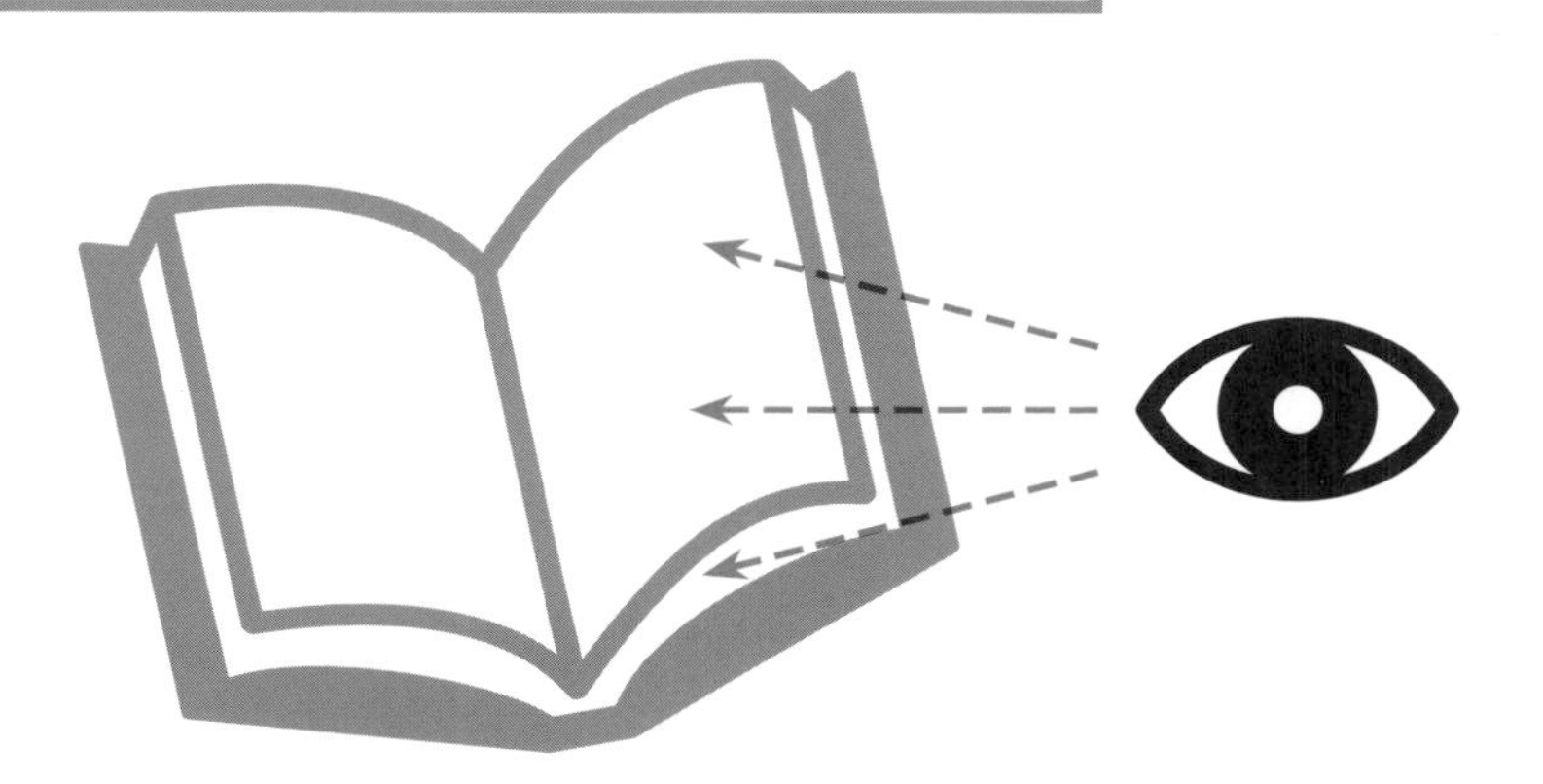

周辺視野を使えば何時間やっても
目が疲れることはない!

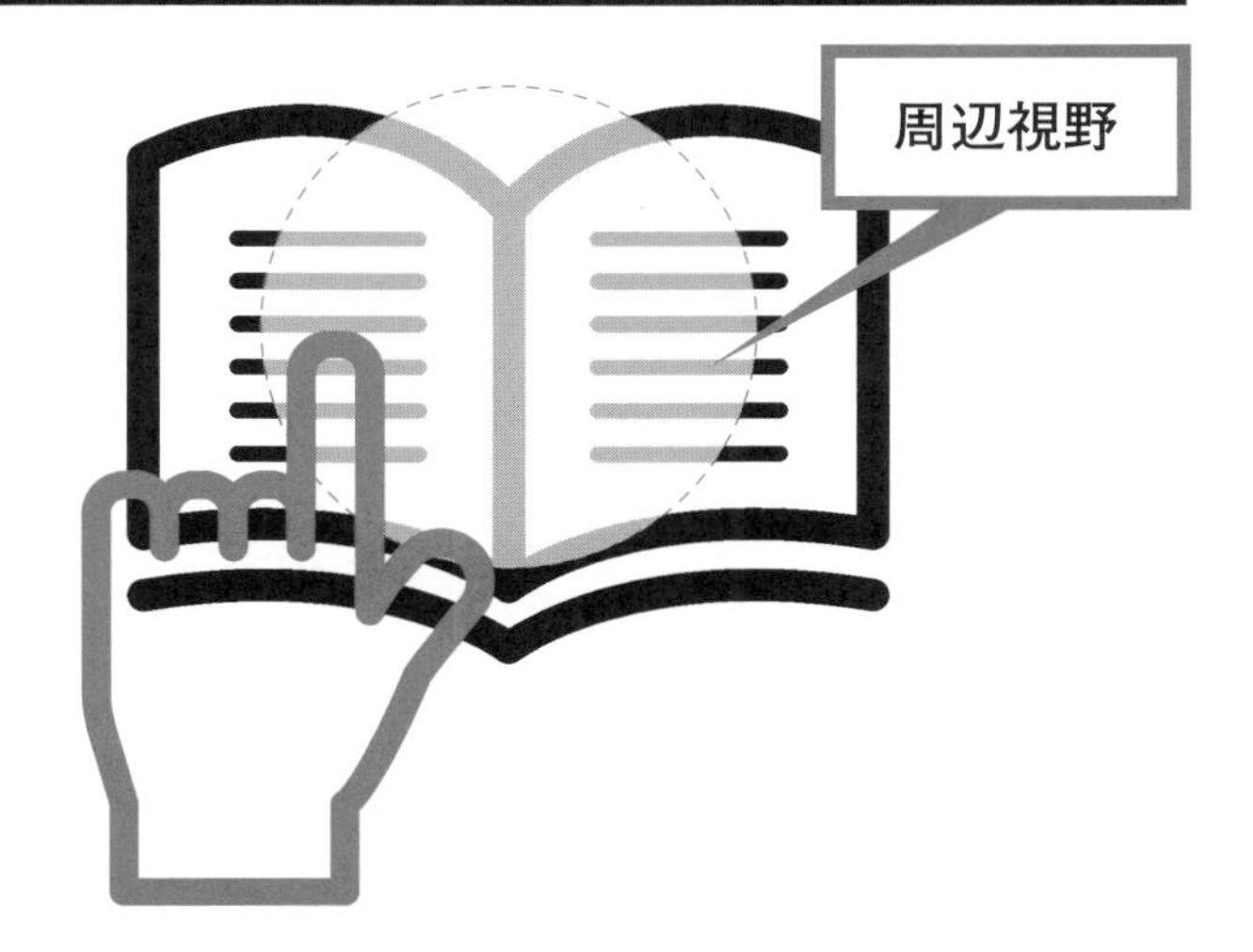


「人差し指だけ見て」と言われても**自然と全体が見える**

勉強法その45

本を速く読むには速読術しかないと思っている

Genius
これで
天才に!

# 脳のなかの時間の流れを遅くすれば1冊1分で読める

## あえて勉強時間を長く感じさせる

「勉強は楽しいです。あっという間に時間が過ぎます」

1冊1分をやるためには、そういう人を目指すのではありません。むしろ、まったく逆の考え方をします。

**「つらい。なかなか時間が過ぎていかない」**

こういう状態を目指すのです。

この状態こそが理想的です。

普通の考えでは

「好きこそものの上手なれです。勉強を好きになりましょうね」

と言うはずです。

ですが、そうなると1時間の勉強時間を1分に感じてしまうリスクがあります。

**それよりも、脳内における体感時間を遅らせたほうが効果的です。**

そうすると、同じ1時間の勉強時間でも60時間分の勉強時間に感じるので、効率が上がるのです。

これが体感時間を利用した勉強のテクニックなのです。

「1冊1分で本が読める講座を開催しています」

私がワンミニッツ・リーディングについてこのように説明すると、ほとんどの場合、このように返されます。

「それって速読ですか?」

もう200回以上はこのような質問を受けたと思います。

とても誤解されやすいのですが、実際は、**1冊1分のワンミニッツ・リーディングに、いわゆる速読のスキルはまったく使っていません。**

では、何をしているのか。

**「脳内における体感時間を遅くしている」**

というのが正解です。

これこそが体感時間です。

**快楽の時間は一瞬で過ぎ去り、苦痛の時間は永遠に感じる。**

時間の流れはどんなときでも、だれにとっても常に一定だと多くの人は思ってしまいがちです。

ワンミニッツ・リーディングは、**体感時間をコントロールすることによって1冊1分で読むことが可能になっています。**

# 1冊を1分で読むために脳内の体感時間を遅くする

## 【勉強が楽しい】あっという間に時間が過ぎる

美人の隣に座っていると、
1時間が1分に感じる。
熱いストーブの上に腰掛けたら、
1分が1時間に感じる。
これが相対性理論です。

【アルバート・アインシュタイン】

## 【つらい】なかなか時間が過ぎていかない…

脳内の体感時間を
遅らせることで
効率を上げる

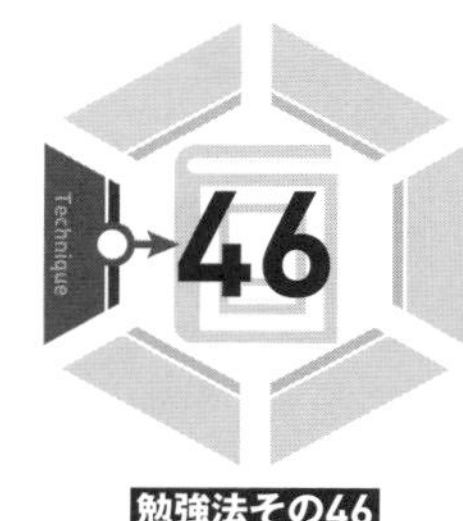


勉強法その46

× やってはいけない! Ordinary

# 勉強を好きになったほうが、成績が上がる

○ これで天才に! Genius

# ページをめくるときにイライラするだけで成績が上がる

「勉強が好きになれば成績は上がる。私は勉強が嫌いだから成績が上がらないのであって、もっと勉強が好きになれば成績も上がるはずだ」

このように考えている人がいます。

**もちろん、勉強が嫌いだとまったく勉強をしなくなってしまうので、勉強嫌いはよくありません。**

ですが、必要以上に勉強が大好きになってしまうと、「大好きな勉強をしていると、時間が一瞬で過ぎ去ってしまい、『時間が足りない……』と焦る原因になる」というデメリットがあります。

## 「勉強を苦痛に感じる」これも正解ではない

「わかったぞ。勉強は嫌いだ。苦痛だと思えば時間が長く感じるんだ」

私の説明を聞いて、こんなふうに思った方もいるかもしれません。

ですが、勉強に対して苦手意識を持ってしまったら、それはそれで成績が上がりません。

よくない方法です。

## 苦痛なら勉強の体感時間は遅くなる

勉強に苦手意識を持たずに体感時間を遅くできる方法があります。

**勉強自体を苦手になろうとするのではなく、勉強のために生じる行為の1つにフォーカスするのです。**

それが「ページをめくること」です。

「ページをめくるのは大変だ。苦痛だ。なかなか1分が終わってくれない」

こう感じることで、「ページをめくること」に対して、ネガティブな感情を芽生えさせるのです。

そうすれば、勉強ではなく、ページをめくることに対する苦手意識を使って、体感時間を遅らせることができます。

**イライラの感情を使って、1分を1時間に感じられれば、あなたの「勉強時間が足りない」という悩みはなくなるのです。**

Technique 46

# 「ページをめくること」にネガティブな感情を芽生えさせる

## ページをめくるのが苦痛

**「勉強時間が足りない」という悩みがなくなる**

勉強法その47

Ordinary やってはいけない！

# 精読をすることが素晴らしいと思っている

Genius これで天才に！

# 精読かつ、多読がいいに決まっていると思っている

## 体感時間は1時間なので精読できる

「1冊1分では、内容がわからないのではないか。内容がわからなければ意味がないぞ」

こう言う人がいるのですが、誤解しています。

読んでいる本人の体感時間は1時間なのですから、感じ方としては精読しているのと同じです。

また「1冊1分は、飛ばし読みなのではないか」と言う人もいます。これはまったく違います。

**めくる作業をすることにより、体感時間を長くさせているだけというのが、ワンミニッツ・リーディングのやり方の説明としては正解**なのです。

精読か？　多読か？

こういう二者択一で考えるのは、まさに凡人の発想です。

天才は、精読かつ多読がいいに決まっていると考えています。

ワンミニッツ・リーディングを使えば、精読かつ多読が当たり前になるのです。

「本はじっくり読むものだ」

こう考えている精読の信者の方は、とても多いです。

それならば、**精読かつ多読のほうがいいに決まっています。**

我々は1冊1分で本を読んでいますが、ページをめくることに対して、イライラの気持ちを持ちながらめくっているので、体感時間を1時間にしながら、1冊1分で読むことができるようになっています。

## 1冊1分で本を読んでも1分だとは感じていない

ほかの人から見たら「1冊1分なんて、とんでもなく速いスピードだ」と思われます。

ですが、1冊1分で本を読んでいる張本人からしたら、1分を1時間に感じながら、本を読んでいるというだけです。

**「1冊1分のときの絶対時間は1分だが、相対時間は1時間である」**

これが、ワンミニッツ・リーディングをしているときの実際の感覚です。

Technique 47

# ワンミニッツ・リーディングは多読かつ精読

本はしっかり精読するべきだ

「多読」かつ「精読」なのが

ワンミニッツ・リーディング

「多読」

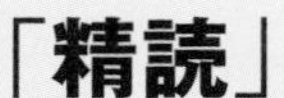

「精読」

勉強法その48

Ordinary ✕ やってはいけない!

# 内容を忘れないように、本を読まなければいけない

Genius ○ これで天才に!

# 内容を忘れようとして、本を読まなければいけない

「本を読んでも、すぐに内容を忘れてしまう。せっかく読んだのだから、本の内容を忘れないようにしたい」

こう言う人がいます。これは読書に対するアプローチがまったく間違っています。そうではなく「どんどん忘れよう」と思って、ページをめくっていくのが正しい本の読み方です。

成績が悪い人は、覚えよう、覚えようとして、失敗して、覚えられないという現実が待っています。

**どうせ失敗するのであれば、忘れることに失敗すればいいのです。**

本を読むときには「ページをめくった瞬間に、いままでのページの内容は忘れよう」と思って、見開き2ページ0・5秒のスピードで最後まで読み進めます。**忘れようとすると、忘れることを失敗して、結果的に覚えている**という現実が手に入るわけです。

「百人一首で難しいのは、忘れることだ」と言われます。

札の配置を覚えるのは簡単。むしろ、1時間後の次の対局のときまでに、前の対局の札の配置を忘れるほうが大変だというわけです。

ならば、あなたも**「覚えるのは簡単だ。忘れるのは難しい」**と思いながら、勉強をすればいいのです。本を読むときも、内容を忘れよう、忘れようとして本を読みます。

**少しでも「内容を知りたい」と思ったら負けです。**

ワンミニッツ・リーディングは、内容を忘れようとする作業です。

## 読書は覚えるためにするものではない

「ワンミニッツ・リーディングで本を読んで、内容は覚えているのですか?」

こう質問をしてくる人がいますが、その人は、

「本を読んで内容を覚えていなければ意味がない。読書は覚えようとしてするものだ」

という固定観念に縛られてしまっているので、アウトです。

「ワンミニッツ・リーディングでは、内容を覚えようとしてはいけないんです。内容を覚えることに興味を持ってはいけないんです」

このように答えると、こういう人は、がっかりして去っていきます。覚えたいと思って覚えようとしたら、覚えられません。

**覚えたいなら、忘れようとする。**これが正解なのです。

## Technique 48 内容を覚えるよりも忘れるほうがずっと難しい

### 少しでも「内容が知りたい」と思ったら負け!



### 内容を覚えることに興味をなくすのが天才の読書術

勉強法その49

Ordinary やってはいけない！

## しおりを挟む

Genius これで天才に！

# 大切なページの角を折る

「今日はここまで読んだ。しおりを挟んでおこう」という人がいます。ダメです。やってはいけません。

**しおりを使うということは、本を最後まで読み切らないということです。**1冊1分で本が読むのが当たり前になれば、「途中まで読む」という行為そのものがなくなります。

**大切なところがあったら、そのページの角を折ります。**

どのくらい折るのかというと、1冊の本につき、10箇所以内が理想です。ノートにまとめるときも、10箇所についてだけ、まとめればいいことになります。

「角を折ったら、古本屋で売るときに困る」

という方がいますが、それは仕方がないと割り切ってください。

いま古本屋で出回っている本で、ページの角が折れている本はとても多いです。

**というのも、1冊1分で年間1000冊読んでいる方が1000人以上いるからです。**

「おお。年間1000冊のお仲間がここにもいる！」と思って、自分を奮い立たせましょう。

Technique 49 大切なところがあったら、ページを折っておく

古本で見つけたら
ワンミニッツ・リーディングの仲間!

しおりは使わない!

折る箇所も
10箇所以内が理想

勉強法その50

Ordinary やってはいけない！

# 読んだ本のレビューを書く

Genius これで天才に！

# 読んだら、次の本を読む

本を読んで、ネット上にレビューを書く人がいます。レビューを書く時間が無駄です。

そんな暇があったら、**次の1冊を読んだほうが、ずっと有益です。**

「作家にとって一番の宣伝は、次の本を書くことだ」と言われます。新聞広告を自腹で打つべきか、と悩んでいる作家の方もいますが、本を出したら次の本を出すのが、もっとも効果的な広告宣伝になります。

すでに書いた本の横に次の本が置かれるからです。やがてその作家のコーナーができあがります。

50冊、100冊と出すことで、横一列の「東野圭吾コーナー」「村上春樹コーナー」のような「棚」ができるのです。

次々本を読む人が成長する読書も同じです。1冊の本を読んだら、すぐに次の本、その本を読み終わったら、また次の本を読むことで、一番成長します。

作家は本を書き終わったら、次の本を書くだけです。

**読者も、1冊本を読み終えたら、次の本を読むだけ、というのが正解なのです。**

Technique 50

## 1冊読んだらすぐ次の本！

**1冊読み終わったらすぐに
次の本を読むのがもっとも成長する**

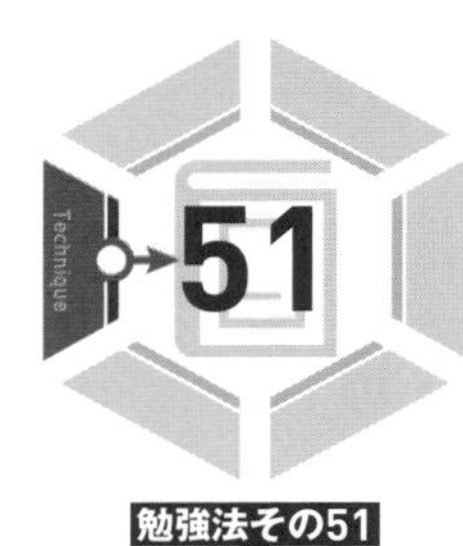


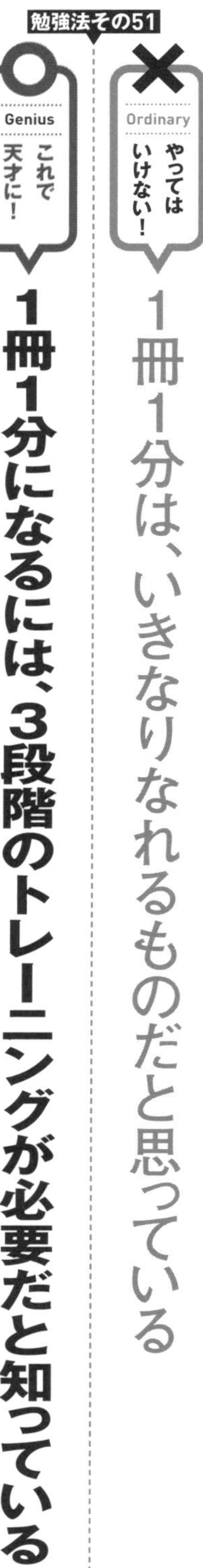


# 1冊1分は、いきなりなれるものだと思っている

# 1冊1分になるには、3段階のトレーニングが必要だと知っている

「1冊1分になる方法を、ひとことで言ってくれ！」

こう言う人があとを絶ちません。

私としては「ひとことでは言えません」と言いたいところなのですが、あえてひとことで言うとすれば、

**「見開き0・5秒で本をめくれるようになり、それが当たり前になるまで6ヵ月以上継続する」**ということになります。

## 見開き0・5秒になるための3段階

では、どうしたら見開き0・5秒が当たり前になるのでしょうか。

そのためには、3段階のトレーニングが必要になります。

**第1段階：テンミニッツ・リーディング（10分読み）**
**第2段階：ファイブミニッツ・リーディング（5分読み）**
**第3段階：ワンミニッツ・リーディング（1分読み）**

これを、1冊の本でおこなうのがトレーニング法になります。

## テンミニッツ・リーディング

まず、第1段階からお話しします。

テンミニッツ・リーディングです。

**右ページを3秒で眺め、左ページを3秒で眺めて、めくります。**

見開き2ページにつき6秒かかり、200ページの本で100回めくるので、600秒。

つまり、10分で1冊の本を読み終わる計算です。

## ファイブミニッツ・リーディング

第2段階に行きましょう。

ファイブミニッツ・リーディングです。

右ページを1秒眺めて、左ページを1秒眺めて、1秒でめくります。

**これで、見開き2ページを3秒でこなせるようになります。**

200ページの本で、合計300秒、つまり5分で1冊を読んで

いることになります。

## ワンミニッツ・リーディング

最後に第3段階。

ワンミニッツ・リーディングです。

**見開き0・5秒でめくっていきます。**

200ページで、100回めくることになりますので、1冊50秒の計算になります。

**注意点は、見開き1秒ではなく、見開き0・5秒というところです。**

このスピードではないと、1分を切れないからです。

## 3段階トレーニングでつかむ

初日には無理でも、6ヵ月がんばれば、できるようになる方が多いので安心してください。

「テンミニッツ・リーディング」
「ファイブミニッツ・リーディング」
「ワンミニッツ・リーディング」

の3段階のトレーニングをすることで、1冊1分が可能になるのです。

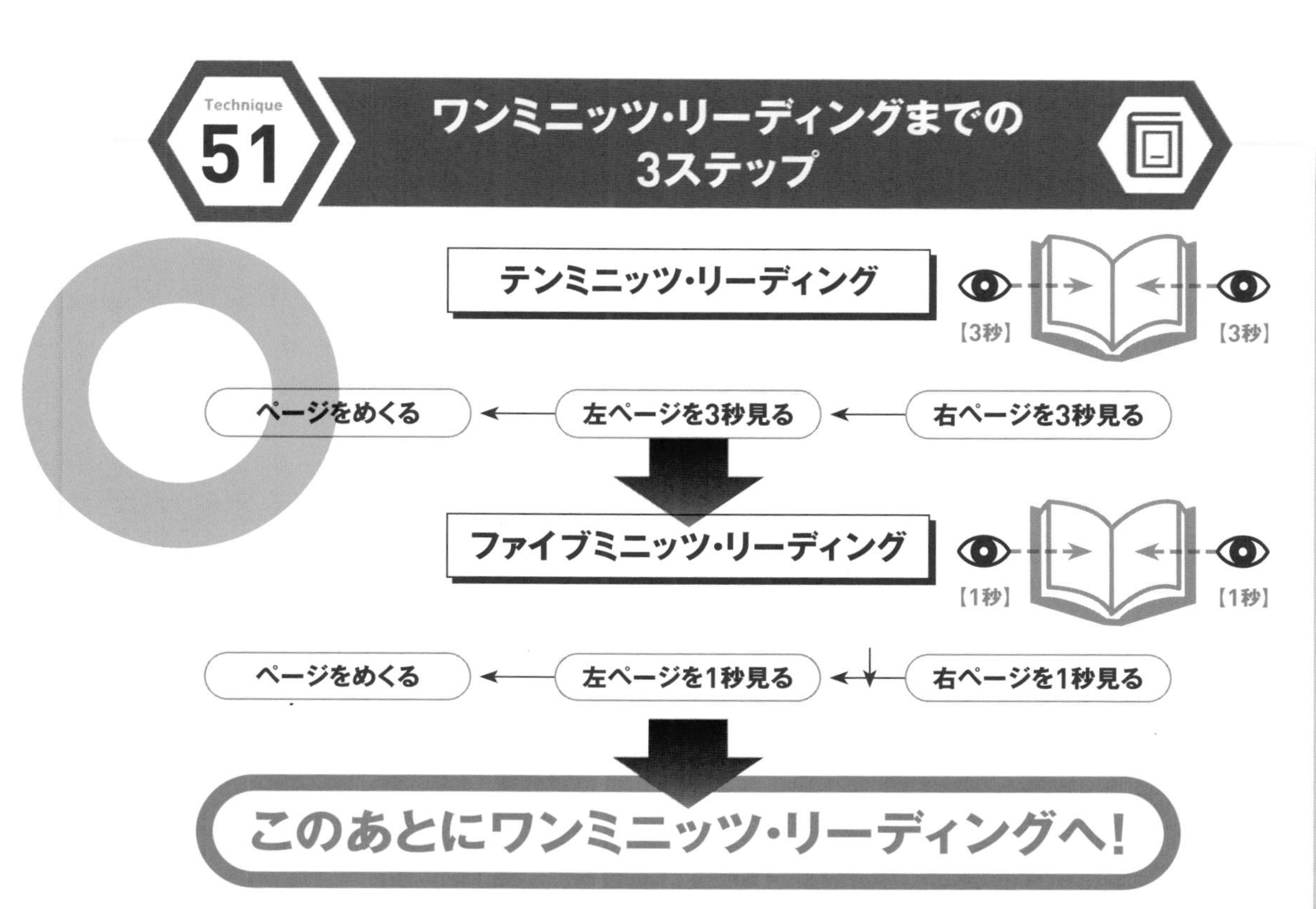

勉強法その52

やってはいけない！ Ordinary

# ワンミニッツ・リーディングができれば速読ができると思っている

これで天才に！ Genius

# 速読とワンミニッツ・リーディングは水と油だと知っている

「ワンミニッツ・リーディングをマスターすれば、速読ができるようになるはずだ」と勘違いしている人が、いまでもいます。ダメです。速読の一種だと、まだ思っている証拠です。

速読とは求めている方向性がまったく違います。水と油のようなものです。

速読は、「理解できていたら、できている人」「理解できていなかったら、できていない人」という判定基準です。

ワンミニッツ・リーディングの判定基準は、**「200ページの本で、1冊1分を切れるかどうか」という判定基準**です。「めくれていたら、できている人」「めくれていなかったら、できていない人」です。

## 本を読んでも理解はしない

ワンミニッツ・リーディングができると、ページが速くめくれるようになりますが、これは**内容が理解できるかどうかとは関係ありません。**

内容に興味すらない状態になることが、できる人の特徴です。

Technique 52

## 本の内容を理解しようとしてはいけない

ワンミニッツ・リーディング ≠ 速読

200ページの本を
1冊1分で読みきれる
かどうかが判定基準

本の内容を
理解しているかどうかが
判定基準

本の内容を理解することに興味すらなくなるのが
ワンミニッツ・リーディングの真髄（しんずい）

Technique 53

勉強法その53

Ordinary やってはいけない！

# それでも、どうしても理解したい

Genius これで天才に！

# 理解するためではなく、天才になるために読む

「どうしても、本の内容を理解したいんです」と言う人が必ず現れます。

ダメです。

**理解は「悪」です。**

理解しようという行為は、絶対に絶対にやってはいけません。

本の内容をさっぱり理解しようとしない人が「優秀」で、理解しようとしてしまったら「落ちこぼれ」というのがワンミニッツ・リーディングの世界です。

「じゃあ、なんのために本を読むんだ。理解するためじゃないのか」と言う人もいるでしょう。

理解するために本を読むのではありません。

天才になるために読むのです。

**「ページをめくるために本を読む」のがワンミニッツ・リーディングです。**

内容を理解しようという気持ちを捨て、見開き０・５秒の世界だけを体感し続けるのが、ワンミニッツ・リーディングです。

**「理解したい」を捨てた瞬間、本はあなたのものになるのです。**

Technique 53 「理解したい」を捨てれば、天才になれる

理解は悪!!

理解しようとは思わずにページをめくるぞ!!

天才になれる

# やってはいけない「読書法」まとめ

**39** 勉強法その39
× 何も考えずに、目の前の本を読む
○ **情報処理のスピードを上げる訓練をしてから、本を読む**

**40** 勉強法その40
× 最初に勉強時間を増やそうとする
○ **1時間あたりの「回転数」を上げようとする**

**41** 勉強法その41
× 1冊2時間かけて本を読む
○ **1冊1分で本を読む**

**42** 勉強法その42
× 1ページ1秒でめくっていくのがすごいと思っている
○ **見開き2ページを0・5秒でめくっていくのが当たり前だ**

**43** 勉強法その43
× 脳内音読をする
○ **ページをめくる作業に集中する**

**44** 勉強法その44
× 眼球運動をする
○ **周辺視野を使う**

**45** 勉強法その45
× 本を速く読むには速読術しかないと思っている
○ **脳のなかの時間の流れを遅くすれば1冊1分で読める**

**46** 勉強法その46
× 勉強を好きになったほうが、成績が上がる
○ **ページをめくるときにイライラするだけで成績が上がる**

**47** 勉強法その47
× 精読をすることが素晴らしいと思っている
○ **精読かつ、多読がいいに決まっていると思っている**

**48** 勉強法その48
× 内容を忘れないように、本を読まなければいけない
○ **内容を忘れようとして、本を読まなければいけない**

**49** 勉強法その49
× しおりを挟む
○ **大切なページの角を折る**

**50** 勉強法その50
× 読んだ本のレビューを書く
○ **読んだら、次の本を読む**

**51** 勉強法その51
× 1冊1分は、いきなりなれるものだと思っている
○ **1冊1分になるには、3段階のトレーニングが必要だと知っている**

**52** 勉強法その52
× ワンミニッツ・リーディングができれば速読ができると思っている
○ **速読とワンミニッツ・リーディングは水と油だと知っている**

**53** 勉強法その53
× それでも、どうしても理解したい
○ **理解するためではなく、天才になるために読む**

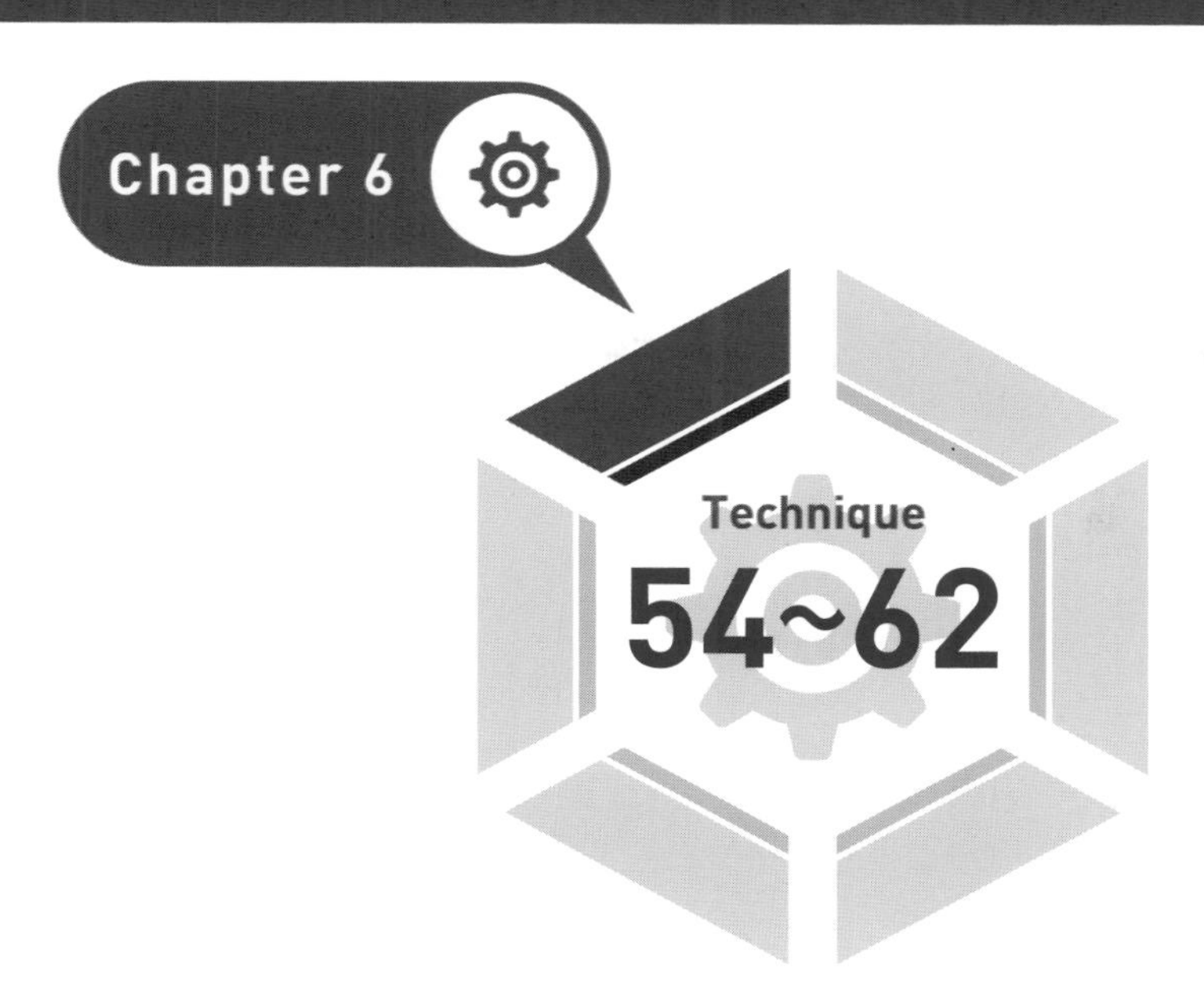


# やってはいけない「勉強習慣」

勉強法その54

Ordinary
やってはいけない！

## 「やっぱり、問題が解けなかった！」と感じる

Genius
これで天才に！

## 「まさか、問題が解けなかった！」と感じる

天才は、**「できること＝当然」「できないこと＝滅多にないこと」と捉えます。**

なので問題を解く際にも、解けることが当然だと考える習慣がついています。誤解してはいけませんが、これは決して自信過剰なわけではありません。

天才として勉強していれば、そうなるべき根拠があるのです。

**「問題が解ける＝やっぱり」「問題が解けない＝まさか」というのが、天才の頭のなかです。**

あなたは「問題が解ける＝まさか」「問題が解けない＝やっぱり」とはなっていないでしょうか。

もしそのような考え方になってしまっているとしたら、それはあなたの勉強がまだまだ足りていない証拠です。

もし天才として「瞬間記憶」をマスターし、ワンミニッツ・リーディングを駆使したとします。

そのような方法で勉強をし、すでに英単語・英熟語・英文法が完璧で、1日20長文を読んでいるにもかかわらず、知らない問題が出たらどうでしょう。

そうです。

**「まさか」と感じるはずです。**

### 知らない問題に対する感覚が指標になる

中学1年生から東大数学を解いていて、東大対策の予備校に6年間通い、東大の試験に出題されそうな問題ばかりを1万問解く勉強をして、本番で知らない問題が出たら「まさか」と思うはずなのです。

けれど、ほとんど勉強せずに入試本番を迎えて、知らない問題が出たら「やっぱり」と感じるはずです。

「知らない問題が出たら、まさか」

そう思えるくらい、圧倒的な勉強量をこなせば、誰でも志望校に合格できるのです。

**知らない問題に直面してしまったとき、自分がどのように感じているかを確認してみましょう。**いまの自分の勉強量が十分なのか、それともそうではないのかを測る目安はここにあるのです。

Technique 54

# 知らない問題が出たら「まさか!」と思え!

## 「やっぱり」と思うのは勉強が足りていない証拠!

## 徹底的に勉強していれば知らない問題は「まさか!」と思う

勉強法その55

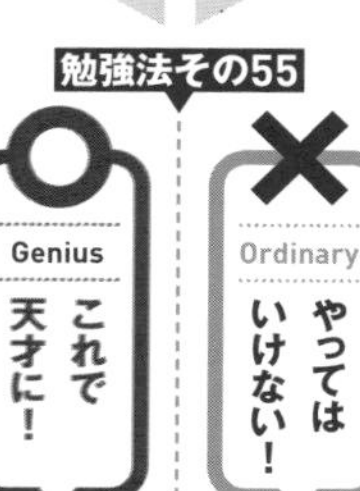


## 問題が解けなかったら、勉強をやめる

# 問題を解いたあとに、勉強をやめる

小学生の頃、算数の問題が解けずに、勉強を投げ出してテレビを見たり、おやつを食べたりしたという経験はないでしょうか。

そういう人は、勉強が苦手になる人です。

なぜかというと、

**「勉強ができない＝快楽（テレビ・おやつなど）」**

と、脳内でイコール関係で結びついてしまっているからです。

逆に問題が解けたら遊びに行く、問題が解けたらケーキを食べる、という習慣がついていたらどうでしょう。

**「勉強ができる＝快楽（遊び、ケーキなど）」**

と、脳内が結びつきます。

## できないまま終えると脳を勘違いさせる

問題が解けなかった直後に快楽的な行為をしてしまうと、

「勉強ができない自分こそ、素晴らしい」

と、脳が勘違いをしてしまうのです。

「私はバカなんです！」「私は頭が悪いんです！」と言う人がいますが、彼らは「バカな私＝快楽」「頭が悪い私＝快楽」と、脳内で結びついています。

そうならないためにも、**どんなに簡単な問題でもいいので「問題ができたあとに遊ぶ」という習慣をつけることが大切**なのです。

## ご褒美は必ずプラスの成果に結びつける

大人でも、仕事をしていて「行き詰まった。ここで休憩だ」と言う人がいます。こういう人は、仕事ができません。

なぜなら、仕事が行き詰まってできなくなることが、快楽になっているからです。

「よし、仕事が終わった！　遊ぶぞ」

こういう人は、仕事ができることが快楽になっているので、どんどん仕事ができる人になっていきます。

マイナスの行為にご褒美を与えるのではなく、**プラスの行為にご褒美を与える。**

そういう人が仕事も勉強もできる人になっていくのです。

Technique 55

# マイナスの行為ではなく、プラスの行為にご褒美を

×

ぜんぜん問題が解けない

休憩しよう

○

よし、問題がぜんぶ解けた

遊ぶぞ!

勉強法その56

Ordinary
やってはいけない！
夜12時以降に勉強する

Genius
これで天才に！
# 夜12時前には、勉強を終える

「昨日は夜中の2時まで勉強した」

こんなふうに、夜遅くまで勉強したことを自慢する人がいます。

しかし、深夜の2時まで勉強をしてしまうと、睡眠時間が少なくなってほぼ確実に翌日のコンディションに悪い影響を及ぼします。

**1日だけ勉強をしても、反動で翌日に勉強をしなくなっては意味がありません。**

「月曜日は勉強時間が15時間で、火曜日、水曜日、木曜日、金曜日はゼロ」

というよりも、

「1日3時間で5日間続けて勉強をした」

こちらのほうが成績は上がります。

**「いかにコンスタントに、勉強をすることを当たり前の習慣にできるか」**

これが勉強で成果を出せるかどうかのポイントなのです。

なかには「なかなか机の前に座っていられません」という悩みを持つ人もいます。

こういう人は勉強をしなくていいので、**まず机の前でゲームをしたり、机の前でスマホを見たりする習慣をつけて、机の前に座る抵抗感をなくしていきます。**

その後、机の前で勉強をするようになれば、すこしずつ机の前に座るのが、当たり前になっていきます。

## 長い戦いのなかで燃え尽きないことが大切だ

**大切なのは、燃え尽きないことです。**

中学1～2年で勉強をがんばりすぎて、中学3年で燃え尽きたら意味がありません。

夜遅くまで起きて勉強する人は、燃え尽き症候群になりやすく感じます。

朝早く起きて勉強する人は、朝の勉強は習慣になりやすいので、燃え尽き症候群にはなりにくいのです。

**夜12時を越えたら、勉強はしない。**

翌日のコンディションを整えるために、12時前には寝る習慣をつけるのは、受験という長丁場（ながちょうば）を乗り切るために不可欠なのです。

Technique 56

# 翌日のコンディションは前日に調整する

まだ12時だ。
**勉強するぞ**

## 翌日に悪影響

もう11時だ。
**寝よう!**

## コンディションを整える

勉強法その57

やってはいけない！ Ordinary

## 睡眠時間を削って勉強する

これで天才に！ Genius

## 睡眠時間は、7時間～7時間30分とる

睡眠時間を削って勉強する人がいます。

しかしこれは「もう入試まで3ヵ月しかない」いままでまったく勉強したことがない」というシチュエーションの人にとってのみ、有効な戦略です。

長期記憶に落とし込まず、天才としての勉強も放棄し「ただ、勉強時間だけを増やす」という単純な戦略に特化できるからです。

なので睡眠時間が少ないと、せっかく前日に覚えたことを忘れてしまうことになります。では睡眠時間は、何時間がいいのでしょうか。これは、すでに答えが出ています。**寝ているときに、短期記憶は長期記憶に落とし込まれます。**「**7時間～7時間30分」です。**

なので「基本的には7時間睡眠にして、30分寝坊してもいいようにしておく」というのがオススメです。

私の受験時代は、7時間15分にしていて、プラスマイナス15分の幅をもたせていましたが、これはどちらでも構いません。

逆算して決めてみましょう。5時起きならば、10時に寝る。6時起きならば、11時に寝る。7時起きならば、12時に寝る。

ざっくり言えばこうです。とはいえ、朝に勉強時間を最低30分は取ったほうがいいと思っているので、12時に寝るのは遅すぎです。

### 日の出とともに起きる

**遅くとも11時30分、できれば11時には寝るようにするのがいいでしょう。**では、起きる時間は何時がいいのか。

答えは「**日の出とともに**」です。

太陽が昇る瞬間に目覚めることで、もっとも脳が活性化します。

夏は朝4時30分くらい、冬は6時50分くらいになります。

よくないのは「毎朝5時30分に起きるぞ」という目標です。夏の5時30分は簡単ですが、冬の5時30分はつらいからです。

**春・秋は10時30分に寝る（5時30分起き）。夏は、9時30分に寝る（4時30分起き）。冬は、11時30分に寝る（6時30分起き）。これが睡眠時間の必勝法です。**

とくに「午後10時から深夜2時までの4時間に、成長ホルモンが出る」と言われています。この時間は寝ていたほうが、学生にとっては、よりよい時間の使い方なのです。

# Technique 57 7時間〜7時間30分の睡眠時間を取る

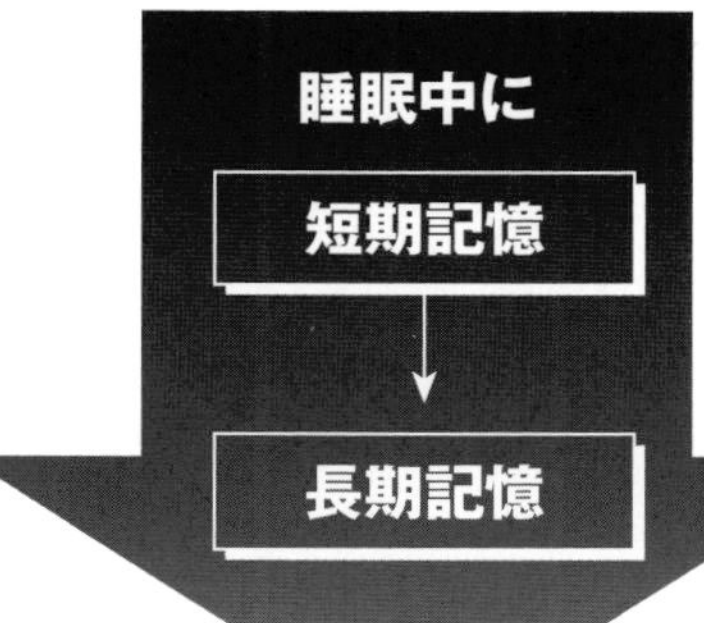


**太陽が昇る瞬間に目覚めれば
脳がもっとも活性化する**

夏は

朝4時30分くらい

冬は

朝6時50分くらい

勉強法その58

やってはいけない！ Ordinary
夜型なので、朝は勉強しない

これで天才に！ Genius
# 朝は、サンドイッチ記憶法のチャンスだ

「夜型なんです。朝は苦手で……」

こう言う方が必ずいます。

ダメです。**天才として勉強するのに、個性は認められません。**夜型の天才というのは滅多に存在しません。

そのため、たとえ**あなたが夜型の人間であったとしても、朝型に生まれ変わる必要があります。**

朝の時間はとても貴重です。もっとも脳が冴えている状態です。

夜はすでに脳が疲れている状態です。なので、勉強をするにしても、「瞬間記憶」での暗記物など、考えることが少ない教科をするのがいいでしょう。せっかく朝の有意義な時間があるのですから、勉強の時間に使いましょう。それが天才になれる勉強法です。

では何をしたらいいのか。

それは、もう決まっています。**前日におこなった暗記の復習です。**

夜、寝る前に暗記をします。そして起きたあとに、寝る前に暗記をしたものの復習をするのです。

私はこれを**「サンドイッチ記憶法」**と呼んでいます。

睡眠中には、夜に暗記したものが、短期記憶から長期記憶に落とし込まれていきます。これを**起きた直後に復習をすることで、長期記憶を確実なものへと変えていく**のです。

## サンドイッチ記憶法のもう1つの効果

さらにこの方法は、効率よく記憶すること以外にも、勉強に対するモチベーションをアップさせる効果があるのです。

「朝、新しい問題をやるぞ！」と、数学の問題に取り組みたい気持ちもよくわかります。しかし、もしも解けなかったら落ち込んでしまいますし、朝の時間が無駄だと感じるかもしれません。

その反面、前日の暗記ものの復習であれば成功率は100%です。昨日覚えたことを見返すのですから、ストレスもありません。

**朝に「おお、こんなにも覚えているじゃないか」と自己肯定感を上げることで、快適な1日を送ることができます。**前日の夜に「瞬間記憶」したものを、翌朝「瞬間記憶」で、もう一度思い出す。

「サンドイッチ記憶法」を毎日実践することで、もっとも効率的に暗記を進めていくことができるのです。

Technique 58

# サンドイッチ記憶法で長期記憶に落とし込む

暗記

寝る

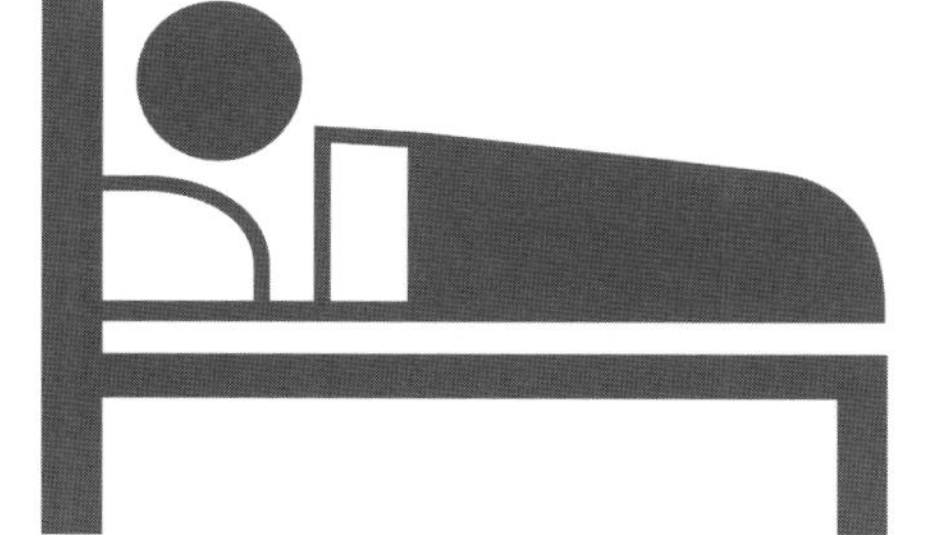

長期記憶に定着

復習

**朝から自己肯定感もアップ!**

勉強法その59

やってはいけない！ Ordinary

# 朝も昼も夜も、同じ教科の勉強をする

これで天才に！ Genius

# 「1日3分割法」を実践する

「私は英語が苦手だ。だから英語をがんばらなければ」

このように考えて、朝から晩まで英語を勉強している人がいます。

一生懸命なのはわかりますが、これは時間の使い方として、非常にもったいないので、変えたほうがいいでしょう。

**1日中同じ科目の勉強をするのではなく、1日のなかで脳にとってベストなタイミングで勉強する科目を選ぶのがオススメです。**

苦手だからといってダラダラと長い時間をとって勉強するよりも、そのときの脳にとって最適な教科を選ぶことが大切なのです。

## 脳の疲労度に合わせて教科を選ぶ

では具体的に、どの時間にどんな科目を勉強するのが、一番効果的なのでしょうか？

まず、**朝の時間は、前項で説明したサンドイッチ記憶法を実践します。**前の夜に暗記したものの復習をするのが効果的です。

**次に、午前中は脳が活性化している時間帯です。**

ですから、単に記憶するような教科ではなく、じっくりと考える作業が必要な数学の勉強に適しています。

そして、午後は少し脳が疲れてきている時間帯です。

そこで、**比較的脳への負担が少ない英語・国語といった言語ものの科目を勉強するのに適しているでしょう。**

最後に、夜は脳がかなり疲れているので、数学のようにじっくりと考える作業には適していません。

**何も考えず、どんどん暗記をする時間に費やします。**世界史・日本史などの暗記教科に使いましょう。

そして12時までにはベッドに入り、翌朝、夜の間に記憶したものをサンドイッチ記憶法でしっかり自分のものにしていくのです。

このように午前、午後、夜と分ける方法を、私は**「1日3分割法」**と呼んでいます。この方法を使って、どの教科を勉強するか決めておくといいでしょう。

**漫然と勉強をするのではなく、脳の疲労度に応じて勉強をするのがもっとも効率的な勉強法です。**

「1日3分割法」を踏まえたうえで勉強をすることで、1日の時間の経過も味方につけることができるのです。

# 「1日3分割法」で時間帯を意識して勉強する

## 朝

脳が活性化しているので
**「考える作業」に向いている**

オススメ

sinΘ　π　√

**数学**

---

## 昼

少し脳が疲れてきているので
**言語ものが向いている**

オススメ

ABC　いろは

**英語、国語**

---

## 夜

頭の回転が遅くなるので
**考える作業は向かない**

オススメ

**歴史などの暗記もの**

勉強法その60

✕ Ordinary やってはいけない！

# 入試3ヵ月前になってから勉強に取り組む

○ Genius これで天才に！

# 中学2年・高校2年の段階で、勉強法はマスターしておく

私が提唱している勉強法には弱点があります。

天才になるための時間、すなわち**「瞬間記憶」をマスターするために最低でも3ヵ月かかる**ということです。

しかも、「私は天才になれる」と無条件で信じる人なら、3ヵ月というだけです。「私には無理だ」というネガティブな思考の人は、6ヵ月～1年以上かかっても、「瞬間記憶」はマスターできないかもしれません。

## 勉強で勝つためには長期戦略が不可欠だ

「入試まで3ヵ月しかない」という人にとっては、この本に書かれていることは、知らなければよかったことばかりかもしれません(青ペン勉強法は3ヵ月以内からでもやったほうがいいですが)。

**勉強は長期戦略を練って取り組むものです。**大学入試では、小学校1年生から名門塾に通って勉強にすべてを捧げてきた人と戦うのですから「3ヵ月でなんとかなりませんか?」というのは、勉強を舐めているとしか言いようがありません。

「野球をやったことがないんですけど、3ヵ月でプロになれますか?」というのと変わりません。

勉強のウルトラCは「『瞬間記憶』をマスターする」こと以外ありません。ですが習得には、最低でも3ヵ月かかります。

逆に言えば、**入試まで3ヵ月しかない人にとっては「勉強法のことは一切考えずに、ひたすら勉強時間を増やす」が正解**です。

なので、睡眠時間を削るなど、本書と逆の方法がいいでしょう。

本書を読んで「この本と、ほかの勉強法のいいとこ取りをしよう」と言う人がいますが、ダメです。

「コーラもコーヒーもオレンジジュースも美味しいので、混ぜます!」と言っているようなものです。

**天才の勉強法は、天才にとってはもっともいい勉強法ですが、逆に凡人にとっては最悪な勉強法です。**

「私は凡人だ。凡人として本書の真逆のことをやるぞ」も1つの正解ですし、「天才になって、この本の通りに勉強をしよう」というのも正解です。

どちらの山を登るかは、あなたが決めていいのです。

Technique 60

# 天才になってから天才として勉強する

【天才の勉強法】

天才になるために3カ月を使う

「瞬間記憶」をマスターする

天才として勉強する

ひたすら勉強

試験本番

勉強法その61

やってはいけない！ Ordinary

# 全教科の成績を、同時に上げようとする

これで天才に！ Genius

# 入試本番から逆算して、成績を順番に上げていく

**試験科目には、忘れにくい科目と忘れやすい科目があります。**

数学は論理性が強いため、忘れにくい科目です。「1＋1＝2」というのは、小学1年生のときに覚えて、高校3年生になっても忘れません。

小論文も、一度書き方がわかれば忘れません。

国語は、現代文に関しては、一度解き方が身につけば忘れませんが、古文に関しては、暗記ものなので忘れやすいです。

漢文は、漢詩は韻を踏むというルールがあったりしますが、覚えることは少ないので、古文よりは論理性があります。

## 入試から逆算して勉強する

国語を勉強する際には、**「小論文→現代文→漢文→古文」の順番**に取り掛かるのが、効率がいいです。

高校1年の時点で、小論文と現代文は高得点が取れるようにしておいて、高校2年で漢文と古文を勉強していくのが効率的な流れです。

**数学も、高校1年から始めて、高校2年のときにはすでにすべての単元をマスターしているくらいのほうが、受験勉強において非常に有利です。**

日本史・世界史・地理といった科目を高校1年のときに覚えても、入試本番のときには忘れてしまうだけです。

もし歴史に苦手意識がある人は、高1、高2のときに歴史マンガを使って、日本史アレルギー、世界史アレルギーをなくすことに専念しましょう。

そして**高校3年から本格的に暗記**をしていったほうが、入試本番では得点が取りやすいです。

## 英語は高3の夏までに

**英語も、高校3年の夏までには偏差値70**に上げておいたほうが、秋以降に日本史・世界史に時間を費やせます。

入試本番から逆算して、各教科の成績を上げていくのが、受験戦略なのです。

# Technique 61 忘れにくいものから先に覚える

| | 国語 | 数学 | 日本史<br>世界史<br>地理 | 英語 |
|---|---|---|---|---|
| 高1 | 小論文<br>現代文 | 高2までに<br>すべての単元を<br>マスター | マンガ等で<br>アレルギーを<br>なくす | 高3の夏までに<br>完璧に<br>しておく |
| 高2 | 漢文<br>古文 | ↓ | ↓ | ↓ |
| 高3 | - | - | 本格的に<br>暗記 | ↓ |

勉強法その62

✕ Ordinary やってはいけない！

# 時間配分を決めずに、問題を解き始める

○ Genius これで天才に！

# 10分のバッファタイムをつくってから、問題を解き始める

「バッファ」とは「余裕」という意味です。

つまり、**試験中にパニックにならないためには、最初から余裕を持ったプランで試験に臨めばいいのです。**

試験時間が90分だとしたら、80分が制限時間だと思ってやります。10分余裕を持っておけば、見直しもできますし、心に余裕が生まれます。問1から問10まであれば、問1は5分、問2は10分、問5は15分などと、事前に時間を割り振ってから、はじめて問題を解き始めるのです。

## パニックにならないための時間配分

**もちろん、10分の余裕を持って時間配分を決めます。**「どうしよう！　時間がなくなった！」という経験は、誰しもあるはずです。にもかかわらず、次回の試験から対策をしないという人が多すぎるわけです。

たまたま時間内に終わればいいですが、時間配分を間違えただけで、いままでの成果がゼロになるのはもったいないです。

**確実に合格するために、10分の余裕を持たせた時間配分をしてから問題を解き始めましょう。**

パニックを防ぐ状態をつくってから、問題に取り掛かるのが、試験本番では大切なのです。

## 万が一パニックになったときのために

また、「わかる問題から解きたい。そのほうが安心だ」と言う人がいます。

やってはいけません。

わかる問題は、パニックになってもわかる問題だからです。

**「いまはわかるが、10分後には忘れていそうだぞ」という問題を先に解くべきです。**

パニックを防ぐ状態をつくり、その上で万が一、パニックになってもいいように、はじめに長文問題を解いておく。

積み重ねてきた勉強の成果を悔いなく出せるように、試験に臨みましょう。

# 10分の余裕をつくるタイムコントロールメソッド

## 時間の余裕をとってから時間を割り振る

**90分の試験時間**

|  |  |
|---|---|
| 15分 | 問1〜3（5分ずつ） |
| 15分 | 問4・5（7.5分ずつ） |
| 15分 | 問6・7（7.5分ずつ） |
| 10分 | 問8 |
| 10分 | 問9 |
| 15分 | 問10 |

＝

**10分の余裕**

- ○落ち着いて問題を解ける
- ○本来の実力が発揮できる

大丈夫、
10分の余裕はある！

# やってはいけない「勉強習慣」まとめ

54 勉強法その54
× 「やっぱり、問題が解けなかった！」と感じる
○ **「まさか、問題が解けなかった！」と感じる**

55 勉強法その55
× 問題が解けなかったら、勉強をやめる
○ **問題を解いたあとに、勉強をやめる**

56 勉強法その56
× 夜12時以降に勉強する
○ **夜12時前には、勉強を終える**

57 勉強法その57
× 睡眠時間を削って勉強する
○ **睡眠時間は、7時間～7時間30分とる**

58 勉強法その58
× 夜型なので、朝は勉強しない
○ **朝は、サンドイッチ記憶法のチャンスだ**

59 勉強法その59
× 朝も昼も夜も、同じ教科の勉強をする
○ **「1日3分割法」を実践する**

60 勉強法その60
× 入試3ヵ月前になってから勉強に取り組む
○ **中学2年・高校2年の段階で、勉強法はマスターしておく**

61 勉強法その61
× 全教科の成績を、同時に上げようとする
○ **入試本番から逆算して、成績を順番に上げていく**

62 勉強法その62
× 時間配分を決めずに、問題を解き始める
○ **10分のバッファタイムをつくってから、問題を解き始める**

column

## リスト化&2大目標を習慣に

朝、勉強の前に、「やることリスト」と「2大目標」を書く習慣をつけましょう。

**「やることリストに書いたことはやるが、それ以外はやらない」**と徹底することで、作業スピードが最速化できます。逆に書かずに1日をスタートすると、つい雑用など関係ないことをしてしまいます。

勉強ができる人というのは、やることリストの優先順位の高いものからこなし、時間を有効に使っている人なのです。

**また、1日の目標は2つ立てましょう。**

1つだと、それができなかったら落ち込みますし、3つ以上だと、よくばりすぎで結局手つかずになる場合もあります。1つしか達成できなければ、翌日に繰り越して1つ目標を加えればいいのです。

これらの習慣の積み重ねが、気がつくと大きな成果を生むことになるのです。

## おわりに

やってはいけない！ Ordinary

「瞬間記憶」なんてできっこないので、地道に暗記をする

これで天才に！ Genius

## 「『瞬間記憶』のために」と思って、お膳立てをする

勉強の必勝法は、「瞬間記憶」ができるようになることです。

1単語1秒で英単語を覚える訓練をすることで、英単語の知識と同時に「瞬間記憶」をマスターすれば、勉強に関しては無敵状態になります。

ただし「英単語の暗記をしながら、『瞬間記憶』を身につける」という作業に、3ヵ月は最低でもかかります。

「瞬間記憶」のマスターには3ヵ月と言いましたが、かといって3ヵ月でできなかったら才能がないというわけではありません。

6ヵ月かかっても大丈夫です（疑い深い人は1～2年、もしくは途中であきらめる可能性が高いかもしれません）。

大切なのは、「瞬間記憶」のマスターまでにかかる時間ではありません。

### ポジティブな人が「瞬間記憶」をマスターできる

「瞬間記憶」のトレーニングで大切なのは「私はできている」と思いながらトレーニングをすることです。

なぜなら、

「私なんてバカだ」

「私なんてダメだ」

「一体私は何をしているんだろう、意味がないことに時間を費やしているなんて」

とネガティブなことを考えたら、「瞬間記憶」はできなくなるからです。

そういう意味では、そもそも物事に対してネガティブな方は、最初から凡人としての勉強法を極めたほうが早いでしょう。

1～2年かかってもできるようになったらまだいいですが、3年経過してもできるようにならない可能性もあるからです。

### ネガティブな感情があるとマスターできない

なので「『瞬間記憶』は誰でもできますか？」と言われたら、

「誰でもできます。ただし性格がネガティブな方にはできません」

と私は答えています。

いつもポジティブで、明るい気持ちで心を満たすことで「できている」と感じるのが「瞬間記憶」だからです。

この本を読んで、

「インチキだ。『瞬間記憶』なんて、できっこない」

と感じられた方は、残念ですが「瞬間記憶」に、挑戦しないほうがいいでしょう。

挑戦している最中に「どうせインチキなんだ。嘘なんだ」と思いながらトレーニングをしたら、その感情がインストールされてしまい本当にできなくなるからです。

「よし、楽しそうだな！『瞬間記憶』をマスターするために石井貴士の『1分間英単語1600』を買ってくるぞ」

このくらい明るい性格の方は、きっとうまくいくはずです。

## 天才になるか凡人のままか

勉強法のファイナルアンサー。

それは「瞬間記憶」です。

やるか、やらないかは、あなたが決めて構いません。

**天才に生まれ変わってから、勉強を始めるのか。**

**凡人のまま、いきなり勉強を始めるのか。**

あなたはいま、どちらの人生も選ぶことができるのです。

石井貴士

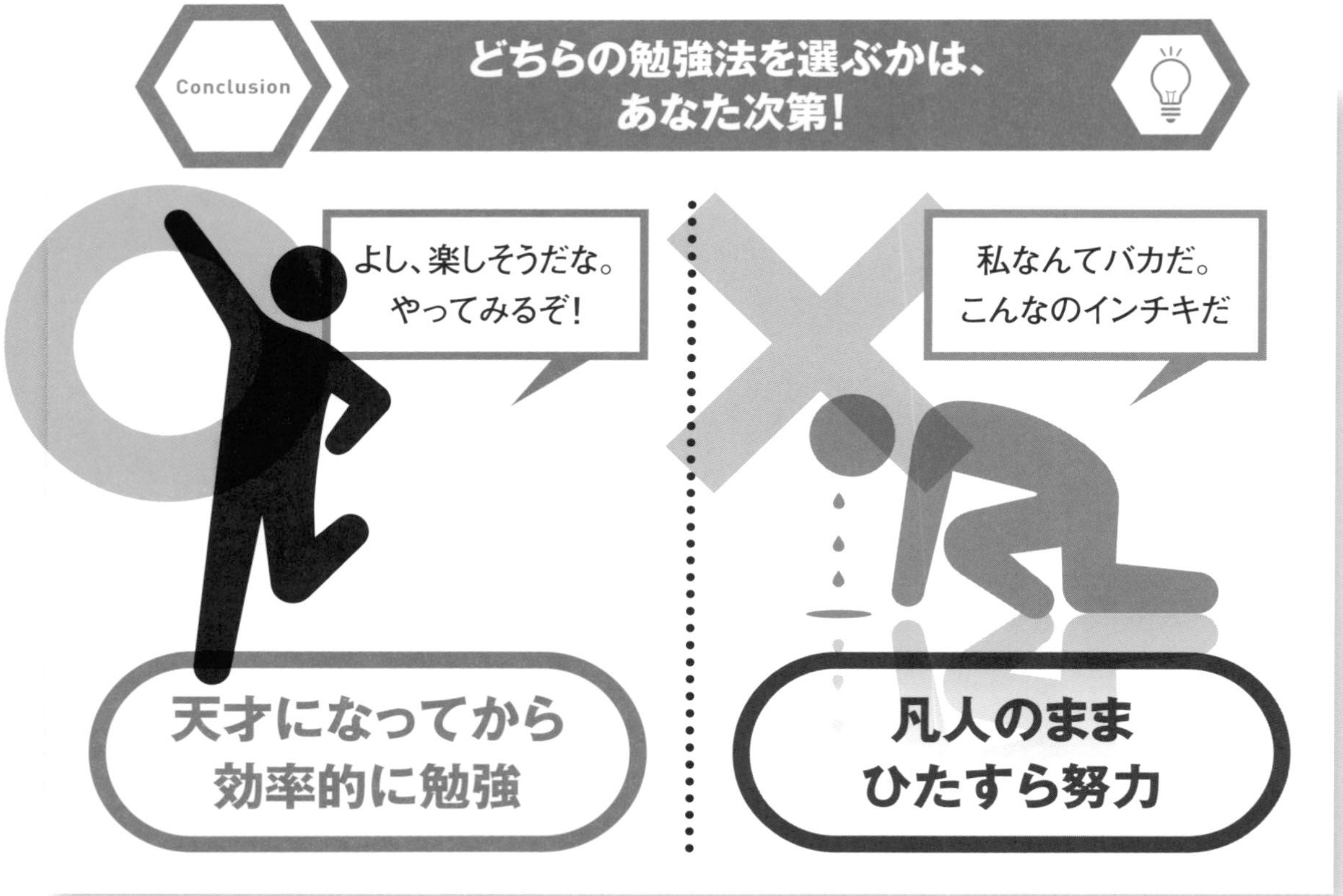

Conclusion

どちらの勉強法を選ぶかは、あなた次第！

### KADOKAWA
『本当に頭がよくなる1分間勉強法』
『本当に頭がよくなる1分間勉強法』文庫版
『[カラー版]本当に頭がよくなる1分間勉強法』
『[図解]本当に頭がよくなる1分間勉強法』
『本当に頭がよくなる1分間英語勉強法』
『1分間英単語1600』
『CD付 1分間英単語1600』
『1分間英熟語1400』
『CD2枚付 1分間TOEIC®テスト英単語』
『CD付 1分間東大英単語1200』
『CD付 1分間早稲田英単語1200』
『CD付 1分間慶應英単語1200』
『CD付 1分間英会話360』
『成功する人がもっている7つの力』
『あなたの能力をもっと引き出す1分間集中法』
『文才がある人に生まれ変わる1分間文章術』

### 講談社
『キンドル・アンリミテッドの衝撃』

### 秀和システム
『アナカツっ!〜女子アナ就職カツドウ〜』
『1分間情報収集法』
『いつでもどこでも「すぐやる人」になれる1分間やる気回復術』
『会社をやめると、道はひらく』
『定時に帰って最高の結果を出す1分間仕事術』
『あなたも「人気講師」になれる! 1分間セミナー講師デビュー法』
『女子アナに内定する技術』
『彼氏ができる人の話し方の秘密』

### 水王舎
『1分間英文法600』
『1分間高校受験英単語1200』
『1分間日本史1200』
『1分間世界史1200』
『1分間古文単語240』
『1分間古典文法180』
『1分間数学I・A180』
『新課程対応版 1分間数学I・A180』

### フォレスト出版
『1分間速読法』
『人は誰でも候補者になれる!
〜政党から公認をもらって国会議員に立候補する方法』
『あなたの時間はもっと増える! 1分間時間術』

### SBクリエイティブ
『本当に頭がよくなる1分間記憶法』
『本当に頭がよくなる1分間ノート術』
『一瞬で人生が変わる! 1分間決断法』
『本当に頭がよくなる1分間読書法』
『どんな相手でも会話に困らない1分間雑談法』
『本当に頭がよくなる1分間アイデア法』
『図解 本当に頭がよくなる1分間記憶法』

### 学研プラス
『1分間で一生が変わる 賢人の言葉』
『幸せなプチリタイヤという生き方』

### 宝島社
『入社1年目の1分間復活法』

### パブラボ
『お金持ちになる方法を学ぶ 1分間金言集60』
『石井貴士の1分間易入門』
『はじめての易タロット』

### サンマーク出版
『勉強のススメ』

### 徳間書店
『30日で億万長者になる方法』

### 実業之日本社
『オキテ破りの就職活動』
『就職内定勉強法』

### ゴマブックス
『何もしないで月50万円! 幸せにプチリタイヤする方法』
『マンガ版 何もしないで月50万円! 幸せにプチリタイヤする方法』
『何もしないで月50万円! なぜあの人はプチリタイヤできているのか?』
『図解 何もしないで月50万円! 幸せにプチリタイヤする方法』
『何もしないで月50万円! 幸せにプチリタイヤするための手帳術』

### ヒカルランド
『あなたが幸せになれば、世界が幸せになる』

### ヨシモトブックス
『本当に頭がよくなる1分間勉強法 高校受験編』
『本当に頭がよくなる1分間勉強法 大学受験編』
『勝てる場所を見つけ勝ち続ける1分間ブランディング』

### リンダパブリッシャーズ
『マンガでわかる1分間勉強法』

### きずな出版
『イヤなことを1分間で忘れる技術』
『「人前が苦手」が1分間でなくなる技術』
『やってはいけない勉強法』
『図解 やってはいけない勉強法』
『やってはいけない英語勉強法』
『やってはいけない暗記術』
『マンガでわかりやすい やってはいけない勉強法』
『やってはいけない読書術』
『【ビジュアル完全版】やってはいけない勉強法』

### すばる舎
『入社1年目から差がついていた!
仕事ができる人の「集中」する習慣とコツ』

### 青春出版社
『最小の努力で最大の結果が出る1分間小論文』

### かんき出版
『天職を見つけてお金持ちになる1億円勉強法』

【著者プロフィール】

## 石井貴士（いしい・たかし）

1973年愛知県名古屋市生まれ。私立海城高校卒。
代々木ゼミナール模試全国1位、Z会慶應大学模試全国1位を獲得し、慶應義塾大学経済学部に合格。1997年、信越放送アナウンス部入社。2003年、（株）ココロ・シンデレラを起業。日本メンタルヘルス協会で心理カウンセラー資格を取得。『本当に頭がよくなる 1分間勉強法』（KADOKAWA）は57万部を突破し、年間ベストセラー1位を獲得（2009年 ビジネス書 日販調べ）。現在、著作は合計で89冊。累計200万部を突破するベストセラー作家になっている。

「1分間勉強法　石井貴士　人生は変えられるブログ」
https://www.1study.jp
「石井貴士 公式サイト」
https://www.kokorocinderella.com

本書はきずな出版から刊行した『図解 やってはいけない勉強法』を再編集・加筆したものです。上記の書籍もぜひご覧ください。

【新図解】やってはいけない勉強法

2021年8月1日　初版発行

著者　石井貴士

発行者　櫻井秀勲
発行所　きずな出版
東京都新宿区白銀町1-13　〒162-0816
電話03-3260-0391　振替00160-2-633551
https://www.kizuna-pub.jp
印刷・製本　モリモト印刷


ISBN978-4-86663-147-9